내 마음과 화해하기

마음 헤아리기

내 마음과 화해하기

마음 헤아리기

2판 2쇄 발행일 2022년 10월 24일
지은이 석정호
펴낸곳 유어마인드
등록번호 2019년 4월 4일 제2019-000035호
환우 커뮤니티 홈페이지 https://yourmind.imweb.me
메일주소 your__mind@daum.net

ISBN 979-11-973787-0-6 (03180)

내 마음과 화해하기

마음 헤아리기

석정호 강남세브란스 정신건강의학과 교수 지음

유어마인드

행복한 삶은
내 마음을 보살피는 데서 시작된다

내 마음속에서 일어나는 일들을 얼마나 알고 있는가?

최근에 개봉하여 관심을 모았던 〈인사이드 아웃〉이라는 영화가 있다. 영화에는 기쁨이, 슬픔이, 소심이, 버럭이, 까칠이라는 다섯 가지 캐릭터가 등장한다. 다섯 가지 감정 그 자체이기도 한 이들은, 라일리라는 소녀의 마음속 '감정 조절 본부'에서 서로 역할을 바꿔가며 감정을 만들고 라일리가 그것을 표현하게끔 한다.

주인공인 라일리는 감정 조절 본부에서 눌리는 버튼에 따라 화를 내기도 하고 기뻐하기도 하고 슬퍼하기도 하며 살아간다. 그러는 동안 좋은 기억과 슬픈 기억들이 구슬처럼 머릿속에 쌓여가면서 성격이 형성된다. 가족

섬, 하키섬, 우정섬, 엉뚱섬 등이 만들어지고 허물어져 가기도 한다.

관객들은 주인공 라일리를 바라보며 자신의 삶을 돌아보고 공감하게 된다. 친구들, 가족들과 함께 기뻤던 기억, 슬펐던 기억들이 떠오르면서 어릴 적 기억이 잊혀가는 데 대한 안타까운 마음이 들기도 하고, 내게 소중한 것들을 새삼 돌아보기도 하는 것이다.

이처럼 기발한 방식으로 마음속을 비추는 영화를 보면서, 우리가 잊고 있던 한 가지를 이 영화가 다시금 깨닫게 해주었다는 생각이 들었다.

바쁜 현대인들은 자신의 마음이 이렇게 역동적으로 움직이고 있다는 사실을 얼마나 자각하고 있을까? 이렇게 변화무쌍한 마음을 얼마나 돌아보며 살고 있을까? 마음속에는 슬픔이 가득 차 있는데 그 마음을 들여다보기는커녕, 술을 마시고 잊으려 하거나 누군가에게 짜증 내고 화풀이하며 내 마음이 진짜 원하는 것을 외면한 채 사는 것은 아닌지. 아니, 아예 원하는 것이 무엇인지조차 모르는 채 살고 있는 것은 아닐까.

감정 조절 본부에 등장할 새로운 캐릭터, 살핌이

〈인사이드 아웃〉에서 우리가 놓치지 말아야 할 것이 하나 있다. 라일리가 아직 어리다 보니, 감정 조절 본부에서 한 가지 역할이 빠져 있다는 사실이다. 필자는 영화에 아직 등장하지 않은 그 역할에 살핌이reflection라는 이름을 붙여주고 싶다.

살핌이는 우리가 나이가 들어 성숙해 감에 따라 그 모습을 드러낸다.

갓난아기로 태어나 어른이 되어가면서, 우리 뇌 속에서는 마음을 들여다보는 기능이 점점 커진다. 정신과의사나 심리학자가 아니더라도, 인간은 기본적으로 나와 상대의 마음에 대해 많은 관심을 가지기 마련이다.

물론 감성이 풍부한 애완동물은 주인의 마음을 조금은 헤아릴 줄 아는 듯 보인다. 그러나 사람만큼 나와 타인의 마음을 이해하고 싶어 하고, 자세히 헤아릴 수 있는 존재는 세상 어디에도 없다. 상대가 무슨 생각을 하는지, 내 마음속에 어떤 생각과 감정들이 흘러가고 있는지 깊이 살필 수 있는 것은 오로지 사람뿐이다.

마음 헤아리기는 지구에 있는 생명체 중 사람에게 가장 발달되어 있는 기능이다. 또한 인간이 가진 근본적인 성품이자 가장 독특한 기능이라고 할 수 있다. 인류가 협력하고 연대하여 유능하고 지혜로운 종이 될 수 있었던 이유이기도 하다. 앞서 말했듯, 마음을 알아차리고 조절하는 기능은 저절로 커지기보다는 인간관계 속에서 연습하고 훈련하며 발달된다.

소변이 마려워도 적당한 장소와 상황이 마련될 때까지 잠시 참을 수 있는 것은 주위 상황을 판단하여 행동을 조절하는 첫 번째 단계의 기능이다. 이러한 조절기능은 애완동물도 훈련을 받으면 어느 정도 획득할 수 있다. 그러나 지금 내가 어떤 기분을 느끼며, 그런 감정과 연관된 기억이나 상황을 살펴보고 어떻게 표현할지 생각하는 기능, 즉 감정을 인식하고 조절하는 마음 헤아리기Mentalization 기능은 신이 오로지 인간에게만 내려준 선물인 것이다.

다시 〈인사이드 아웃〉의 이야기로 돌아가 보자. 우리는 영화의 뒷이야기를 상상할 수 있다. 라일리가 엄마와 아빠, 친구들 같은 자기 바깥의 세상과 어울려 살아가며, 아울러 빙봉(영화 속 라일리의 상상 친구) 같은 자기 내면의 세계를 들여다볼 수 있게 될 때 살핌이(마음 헤아리기 기능)는 그 모습을 드러낼 것이다.

그리고 라일리가 성숙해감에 따라 살핌이 또한 성장할 것이다. 살핌이는 라일리 자신의 감정과 의도, 생각 등을 돌아보는 데서 시작하여 점차 상대방의 행동과 말에 담긴 의도나 의미, 즉 상대의 겉모습에 비친 속마음을 헤아릴 수 있는 기능으로 발전해 간다. 마침내는 겉으로 보이는 말과 행동만이 아니라, 속마음까지 소통할 수 있게 될 것이다. 살핌이가 제 역할을 해준 덕분에 라일리는 진정한 의미의 인간관계를 쌓아나가게 되리라.

당신의 마음속 살핌이는 안녕한가요?

바깥세계로부터 오는 자극이 너무 많아진 요즘, 우리는 나 자신의 마음속을 깊이 들여다보고 상대의 마음을 헤아리는 '살핌이'를 발달시키지 못한 채 살고 있는 것은 아닐까. 분노를 조절하지 못해 살인을 저지르고, 자신의 이득을 위해 상대의 마음을 속이고 조종하며, 슬픔을 조절하지 못해 소중한 생명을 스스로 포기하는 소식들이 끊임없이 이어지고 있다. 이런 때 살핌이의 기능을 발달시켜야만 우리 모두가 행복한 사회를 만들 수 있으리라는 생각이 든다.

어릴 적부터 마음을 이해받지 못하고 존중받지 못하는 경험이 반복되다 보면, 살핌이의 기능이 발달하지 못한 채 마음을 들여다보는 창문은 점점 더 탁해지고 창문의 틀마저 뻑뻑해지면서 마음에 굳은살이 박이게 된다.

문제는 우리가 너무 많은 마음의 상처를 받으며 살아가고 있다는 것이다. 마음의 상처는 상대에 대한 그리고 자신에 대한 불신과 부정의 습관을 만들 수 있다. 어릴 때 상처받았을수록, 가까운 사람들로 인해 반복적인 상처를 경험했을수록 부정적인 감정 상태에 빠지기 쉽다. 그러면 상대방은 물론 자신의 마음조차 헤아리지 않는 습관을 키워가게 된다.

비록 상처가 많다 할지라도 마음속 아픔을 극복하면, 비슷한 상처 입은 사람들과 공감하며 함께할 수 있다. 다시 말해 '상처 입은 치유자'가 될 수 있는 것이다. 그러기 위해서는 가장 먼저 상처받은 내 마음부터 헤아리고 돌봐야 한다. 나를 마음속으로부터 사랑하고 위로하는 것이 무엇보다도 중요하다.

마음과 마음이 만나면 우리 모두 더 행복해질 수 있다

얼마 전에 요즘을 '시맹의 시대'라고 표현한 인터넷 기사를 보았다. 시를 읽는 사람이 갈수록 적어져 시를 모르는 사람이 너무 많아졌다는 이야기였다. 그런 이야기를 들으면 나는 속이 뜨끔하곤 한다. 어린 시절, 정지용 시인의 〈향수〉라는 시를 노래로 먼저 접하면서 시의 아름다움을 조금이나마 느꼈던 기억도 있으나, 학교에서 배우는 시는 외워야 할 숙제로 여겨져 싫었다.

지금도 나는 시를 잘 모른다. 필자뿐만 아니라 많은 이가 시를 감상하기가 쉽지 않다고 한다. 시를 읽는 동안의 내 마음속 변화를 알 수 있어야 하고, 시인이 시를 쓸 때의 마음까지도 함께 느낄 수 있어야 하기 때문일 것이다.

시맹의 맹盲은 '눈멀다, 어둡다'는 뜻이다. 우리가 눈 멀고 무지해진 것이 비단 시뿐일까.

나는 요즘의 세상을 '심맹心盲의 시대'라는 말로 바꾸어 표현하고 싶다. 강남에는 건물마다 성형외과가 문전성시를 이루어 얼굴과 외모를 아름답게 가꾸고 싶은 사람들이 줄을 잇는다. 피트니스클럽에서는 너도나도 몸을 예쁘고 건강하게 만들기 위해 고통스러운 다이어트와 힘든 운동에 매진하는 요즘이다.

하지만 겉으로 보이지 않는 마음이 아름답고 건강하도록 돌보는 노력은 얼마나 하고 있을까? 우리는 얼마나 나의 마음을 돌아보고 상대방의 마음을 헤아리며 살고 있을까? 겉으로 보이는 데만 지나치게 골몰한 나머지, 마음을 볼 수 있는 능력은 점점 잃어가고 있는 것이 아닐까?

마음을 돌아보지 못하면 행복해질 수 없다. 우리나라의 자살률이 이토록 높은 것은, 마음의 고통을 돌아보고 나누지 못하기 때문은 아닌가 하는 생각이 든다.

인성도 사교육으로 가르칠 수 있을까?

심리학자인 로버트 클로닝거Robert Cloninger 교수가 그동안의 연구결과를 종합하여 발표한 《웰빙의 과학The Science of Well-Being》이라는 책이 있다. 그 책에서 제안하는 것처럼, 인간의 행복과 웰빙은 인격의 조화로운 성숙을 통해 이룰 수 있다.

인격은 타고난 기질과 더불어 자율성, 연대성, 자아초월성의 세 가지 성격 요인으로 구성된다. 나이가 들어감에 따라 세 가지 성격 요인이 조화롭게 성숙해야 행복해질 수 있다. 클로닝거 교수의 이론은 본문에서 조금 더 자세히 소개하겠다.

동국대학교의 조벽 교수도 《인성이 실력이다》라는 책에서 자기조율, 관계조율, 공익조율의 삼율을 강조하면서 인생의 행복과 성공을 위해서는 인성계발이 중요함을 강조하였다. 클로닝거의 자율성, 연대성, 자아초월성과 맥락을 같이하는 것으로 생각된다.

그렇다면 성격도 사교육으로 가르쳐야 할까?

인성은 결코 사교육 시장에서 가르칠 수 없다. 인성은 마음 헤아리기 능력이 성숙됨과 더불어 길러지는 것으로, 마음 헤아리기 능력은 태어나자마자부터 엄마와의 애착 형성을 통해 발달하기 때문이다. 조금 더 자라면 가족 안에서의 사랑과 이해, 공감을 통해 커가기 시작하며, 학교에 갈 나이가 되면 친구와의 놀이, 협력, 우정을 통해 발달한다. 사춘기를 지나 성인이 되면 연인과의 사랑, 사회에서 만나는 폭넓은 인간관계들을 통해 마음 헤아리기 능력은 점점 더 성숙해갈 수 있다.

인성이란, 일생 동안 인간관계 속에서 존중과 공감, 이해와 배려를 경험하고 갈등과 문제들을 풀어나감으로써 여물어가는 것이다. 아이들의 인성은 건강한 가족, 건강한 교육, 건강한 공동체를 통해 제대로 성숙될 수 있다. 이것이 실현될 때 우리 사회의 높은 자살률과 정신건강 문제 또한 해결될 것이다.

누군가와 마음으로 소통해본 경험이 있습니까?

그러나 현실은 정반대이다. 인성을 가르치고 진정 행복해지는 길을 알려주기보다, 경쟁을 독려하며 채찍질하고 불신과 불안을 키워낸다. 결국 마음 헤아리기 기능이 약해지다 못해 나와 상대의 마음을 헤아리는 일을 포기하는 사람이 점점 더 많아지고 있다.

마음과 마음이 이어지지 못하는 세상에서는 온기를 찾아보기 어렵다. 한 공간에서 몸은 마주쳤을지 몰라도 마음은 만나지 못한다. 옷깃만 스쳐도 인연이라지만, 지하철에서 처음 본 사람과 바로 옆자리에 앉아 한 시간을 같이 가더라도 상대를 알지 못한다. 직장이나 학교에서 매일 보는 동료라도 그가 진정 어떤 사람인지 알 길이 없다. 심지어 가정에 돌아가더라도, 서로 마음을 헤아리지 못하는 가족은 각자 외로운 섬일 뿐이다.

한편, 세월호 참사로 아이들을 먼저 하늘로 떠나보낸 어머니와 아버지, 그 가족들의 마음은 아직도 아이들과 연결되어 있다. 마음은 시간과 공간을 초월해 이어질 수 있으며, 마음이 만나야 진짜 만났다고 할 수 있다.

사람이 진정으로 행복해지기 위해서는 주위 사람들과의 관계가 편안하고 안정되어 있어야 한다. 아무리 돈이 많고 명예로운 자리에 있다 해도 나를 이해하고 나와 함께해줄 따뜻한 가족, 친구와 같은 편안한 인간관계가 없다면 늘 외롭고 불행할 수밖에 없다.

인간관계를 안정되게 유지하기 위해서는 마음이 서로 만나고 통할 수 있어야 한다. 이를 위해서는 첫째로 내 마음을 잘 돌아볼 줄 알아야 하고, 둘째로 상대의 마음도 그 사람의 입장에서 헤아릴 수 있어야 한다.

이는 예전부터 우리 선조들이 강조했고 지켜왔던 공동체 문화로, 나와 네가 아닌 우리로 연결되어 하나가 되는 문화이다. 온정이 메말라가면서 공동체 문화를 잃어가는 요즘, 우리 사회가 다시 행복한 모습으로 돌아가기 위해서는 나와 상대의 마음 헤아리기를 통해 공동체 문화를 회복하는 것이 절실하게 필요하다.

이 책이 우리 모두 더 행복하게 사는 사회를 만드는 데 작으나마 도움이 되었으면 하는 바람이다.

CONTENTS

마음을 모르는 사람의 삶은 고달프다.
내가 진정 원하는 것을 모르니 망설임과 후회의 연속이다.
타인의 마음을 헤아리지 못하니 인간관계는 어렵기만 하다.
상대에게 인정받지 못해 슬프고, 이해되지 않는 상대로 인해
고통받는 일상의 연속.
이 얽히고 설킨 실타래를 풀어낼 방법이 없을까?

PART 01

내 마음의 작동 방식을 이해하기

나 자신의 마음을
나는 얼마나
이해하고 있을까?

남의 마음이 궁금하다면 내 마음부터 공부하라

우리 삶을 괴롭게 하는 고민과 번뇌, 갈등의 원인에는 여러 종류가 있다. 그중에서도 인간관계는 가장 큰 원인 가운데 하나일 것이다. 연인이나 친구 때문에, 직장상사나 동료 때문에 힘들고 가족으로 인해 상처받는 것, 이 모든 것이 인간관계로 인한 고통이다. 그럴 때 우리는 흔히 묻는다.

'저 사람, 무슨 마음으로 저러는 거야?'

'이렇게 심하게 구는 이유가 대체 뭐야?'

필자의 진료실에도 같은 고민을 가진 사람들이 참 많이 찾아온다.

"가족 때문에 너무 힘들어요. 지속적으로 상처받다 보니 그러지 않으려

해도 저 자신이 위축되는 게 느껴져요."

"직장 동료 때문에 거의 자살을 생각하기까지 했습니다."

"마음이 널뛰기를 하는 것 같아요. 그 사람이 너무 좋고 의지가 되다가도, 서운한 말을 한 마디라도 들으면 밉고 다시는 보고 싶지 않아요."

이처럼 인간관계로 인해 고통스러워지는 이유가 뭘까? 인간관계는 왜 이리 어려운 걸까? 답은 간단하다. 열 길 물속은 알아도 한 길 사람 속은 모른다는 말처럼 남의 마음을 잘 모르기 때문이다. 그렇다면 다른 사람의 마음을 알려면 어떻게 해야 할까? 의외의 답변일지 모르지만, 먼저 나 자신의 마음을 아는 것이 무엇보다도 중요하다. 필자는 이를 '마음 헤아리기'라고 부른다.

마음 헤아리기, 영어로는 Mentalization, 또 다른 우리말로는 '정신화'라고 번역되기도 하는 이것은, 타인의 말과 행동이 어떤 감정이나 의도로부터 시작된 것인지를 이해하고 해석하는 능력을 말한다. 또한 내가 어떤 말이나 행동을 하려는 상황에서 밑바탕에 깔려 있는 나의 진정한 의도나 감정을 이해하고 알아차리는 과정과 그 능력을 뜻한다.

어쩌면 우리가 찾는 답은 '외부'가 아닌 '내부'에 있을지도 모른다. 우리는 흔히 문제의 원인을 바깥에서 찾곤 한다. 내가 아닌 남이 문제고, 우리가 아닌 그들 때문이라는 식이다. 그러나 적어도 인간관계의 고민을 해결하고, 나아가 삶의 행복이란 화두에 근접하기 위해서는 나 자신의 마음속에서부터 그 실마리를 찾아야 한다.

나는 내 마음의 진정한 주인일까?

의외로 많은 사람이 자신의 마음을 아주 잘 알고 있고 행동을 잘 조절할 수 있다고 '착각'한다. 하지만 필자의 경우만 봐도 자신의 마음과 몸을 조절하지 못하는 일이 자주 일어난다.

어느 아침에 있었던 일이다. 부족한 운동시간을 보충하기 위해 오늘부터는 10층 사무실까지 계단을 통해 출퇴근하겠다고 결심했다. 그런데 건물 1층에 도착해서 엘리베이터의 문이 열리는 순간, 발이 자동으로 그 문을 향해 걸어 들어가는 것이 아닌가. 겉으로 드러난 다짐은 운동을 하자는 것이었지만, 내 몸은 더 깊숙이 자리 잡은 '편해지고 싶다'는 마음, 본능적 의도에 의해 움직였다.

'내일 아침에는 꼭 일찍 일어나야지'라고 생각하며 잠자리에 드는 경우도 마찬가지이다. 새벽녘 부지런히 운동하거나 공부하는 자신의 모습을 상상하며 잠자리에 들지만, 막상 아침이 되면 울리는 알람을 끄고 자 버리기 일쑤다. 이런 경험을 누구나 해보았을 것이다.

이처럼 몸이 마음과 달리 움직이는 이유는 무엇일까? 우리의 내면에는 하나의 마음만 있는 것이 아니기 때문이다. 본능적 마음(1차 과정 사고)과 이성적 마음(2차 과정 사고), 이 두 가지가 상호작용하며 행동하고, 결정을 내리고 있다.

그렇다면 나 자신의 마음을 아는 것은 왜 중요할까?

마음을 잘 알아야만 내가 진짜 원하는 행동과 결정을 할 수 있다. 진심으로 원하는 것이 무엇인지를 알아야 목적을 달성하기 위한 행보를 이어나갈 수 있으며, 그럼으로써 행복한 삶을 살 수 있다. 예를 들어, 내가 진심으로 원하는 것이 건강이라는 사실을 인지한다면 '엘리베이터를 타면 편할 텐데'라는 마음속 유혹을 뿌리치고 발길을 돌려 계단을 오를 수 있는 것이다.

자신의 마음을 잘 알아야 하는 이유는 또 있다. 자신의 마음을 알고 타인의 마음 또한 헤아릴 때 비로소 인간관계가 풍성해지고 연대감이 강해질 수 있기 때문이다. 자신의 마음도 잘 헤아리지 못할진대 남의 마음을 제대로 헤아릴 수 있을까?

마음을 헤아리지 못하는 사람의 삶은 고달프다

인간은 태어나면서부터 엄마와 상호작용하며 마음 헤아리기 능력을 발달시키고 점점 더 많은 사람들과 관계를 맺어가는, 세상에서 가장 사회적인 동물이다. 처음에는 울음과 웃음, 단순한 표정과 몸짓만으로 엄마의 마음과 소통하기 시작한다.

말을 배우고 눈치가 생기면서부터는 상대에게 인정받거나 상황을 좋게 만들기 위해 마음에 없는 말을 하거나 감정을 숨기기도 하며, 점차 서로의 마음을 정확히 소통하지 않는 습관을 배워나간다. 의도하든 의도하지 않든 자신의 마음을 숨기게끔 되는 것이다.

그러나, 설사 마음을 숨기고 살더라도 변치 않는 중요한 사실이 있다. 어릴 때와 마찬가지로 나이가 들어도 사람은 상대가 내 진심과 의도를 알아주길 바란다는 점이다. 또한 상대의 진정한 마음을 알아야 서로 이해하며 더 가까워질 수 있다.

인간은 서로에게 인정받고 이해받기 위해 애쓰며 살아간다 해도 지나친 말이 아니다. 상대가 내 마음을 인정해주지 않고 오해하기 시작하면 고통이 시작된다. 상대방을 속이고 이득을 취하기 위해 만나는 관계라면 몰라도, 가족이나 연인 같이 사랑하는 사람과 마음이 통하지 않는다면 피차간에 고달플 수밖에 없다.

마음을 헤아리고 소통하는 것이 힘들다고 해서 인간관계를 놓아버릴 수도 없는 노릇이다. 행복한 인생, 성공적인 삶을 사는 데 인간관계는 필수적일 뿐 아니라 가장 중요한 요소 중 하나이기 때문이다.

인간관계를 잘하려면 어떻게 해야 하는가에 대한 질문에 선뜻 답할 수 있는 사람은 많지 않을 것이다. 그러나 확실한 것은, 자신과 상대의 마음을 잘 헤아릴 수 있는 성숙한 인격을 가지고 있어야 한다는 점이다. 인격을 성숙시키고 마음 헤아리기 능력을 키워가기 위해서는 어떻게 해야 하며, 어떠한 노력이 필요할까? 그에 관한 해답을 이 책에서 찾아보고자 한다.

변화의 출발점은 나 자신의 마음이다

시대를 막론하고 인간관계는 남녀노소 모두에게 매우 중요한 삶의 숙제이다. 갓난아이를 생각해보자. 동물의 새끼는 태어나자마자 서서 걷고 스스로 먹을 것을 찾아가기도 하지만, 인간의 아이는 보살펴주는 사람이 없으면 살 수 없다. 누군가에게 절대적으로 의지해야만 하는 불완전한 상태로 태어나기 때문에 갓난아기에게 있어 엄마와의 애착관계는 생존을 위한 필수조건이다.

그러다가 나이가 들어 아동 청소년기에 이르면 아빠를 포함한 다른 가족이나 친구와의 관계가 중요해진다. 청년기가 되면 직장생활을 하고, 연애를 하고, 사랑하는 사람과 결혼하여 가정을 꾸리는 미래를 꿈꾸게 된다. 이때는 일과 사랑이 모두 중요한 시기이므로 직장에서의 인간관계, 연인과의 관계에 주로 관심을 쏟는다.

중년에 이르면 일반적으로 가정을 가지게 된다. 이 시기의 인간관계는 보다 복잡하다. 가정에서는 배우자뿐 아니라 자신의 부모, 배우자의 부모, 자녀 등과 관계 맺으며, 직장에서는 위아래로 관계 맺는 사람이 많아지기 때문이다. 이때 인간관계를 잘 풀어나가는 사람은 생산성이 높아지고 보다 만족스러운 삶을 살 수 있지만, 반대로 인간관계를 잘 풀어나가지 못하는 사람은 가정을 유지하지 못하거나 직업 면에서 정체 혹은 퇴보를 겪게 된다.

이것은 에릭 에릭슨이 이야기한 인간의 발달단계에 따른 인생 과제와도 밀접한 관련이 있다. 즉, 인간에게는 발달에 따라 생애주기별 과제가 존재한다.

계속해서 이야기를 이어나가 보자.

중년을 넘어서 장년기에 이르면 어떤 일이 일어날까? 손자, 손녀가 태어나고 생이 후대로 연결되는 데 있어 중요한 인간관계가 생겨난다.

노년에는 이제까지의 인간관계가 정리되고 통합된다. 노년기는 그 사람의 인격이 선명히 빛을 발하는 시기이다. 오랜 세월 자기 수양을 통해 훌륭한 인격을 닦아온 사람의 노년에는 사람들이 넘친다. 손자, 손녀, 자녀 등 혈육은 물론이고 긴 세월 함께해 온 친구들, 그리고 성숙한 인격과 지혜에 이끌려 그를 멘토 삼는 후배들이 곁에 있다. 그러나 인격적으로 성숙하지 못한 사람은 반대로 점점 더 소외되며 외로워진다. 노년의 행복과 안정감은 육체적인 건강과 물질적 풍요보다 인격과 그에 따른 인간관계에 의해 결정된다고 봐도 과언이 아닌 것이다.

한편, 노년은 삶을 정리하는 시기이기도 하다. 다가오는 죽음에 관해 생각하고, 죽음과 죽음 이후의 연결성에 대해 고민하는 과정에서 자연스럽게 영성을 접하게 된다. 영성이 발달한 사람은 노년을 더욱 알차고 보람 있게 보낼 수 있으며 정신건강을 유지할 수 있다.

그러나 현실적인 삶만을 추구했던 사람들은 늙고 죽는다는 사실 때문에 심한 우울증을 겪으며 나 자신이 사라진다는 데 대한 허탈감에 빠질 수 있다. 우리 일생의 인간관계 궤적을 그렸을 때 그 대미를 장식하는 것은 나를 초월한 절대적인 진리와 우주, 즉 순간적이고 유한한 인간의 삶에서 무한하고 영원한 대상과의 연결이다.

이처럼 우리의 일생은 '관계'와 떼어놓을 수 없다. 그래서 인간은 원초적으로 자신의 마음도 알고 싶어 하고 상대의 마음을 알고 싶어 하는 심리학자라는 말도 있다. 우리는 식물, 동물, 무생물, 미지의 우주에 있을지도 모르는 대상과도 교감하고 싶어 하며 감정 이입을 하기도 한다.

그런데 태어나서 지금까지 평생 인간을 포함한 여러 대상들과 관계 맺고 있지만 여전히 인간관계가 어려운 이유는 무엇일까?

앞서 말한 것처럼 한 길 사람 속이 열 길 물속보다 헤아리기 어렵기 때문이다. 국가대표팀 간의 경기를 보는 동안, 우리나라 사람들은 대부분 비슷한 마음으로 우리 선수가 점수를 내면 기뻐하고 반대의 경우 마음 아파할 것이다. 하지만 이처럼 마음이 일치하는 일은 별로 없다. 같은 상황에 부닥쳤다 하더라도, 같은 회사 동료나 친한 친구라 하더라도 상대의 마음과 내 마음은 다를 수 있다. 상대의 마음을 내 마음대로 함부로 판단하다가는 오해와 갈등이 생기기 쉽다.

특히 가족이나 연인 같이 가까운 인간관계일수록 복잡한 감정, 생각, 기억이 순간순간 생겨났다가 사라지는 상황이 반복된다. 그때문에 소중한 사람과 함께할 때는 내 마음은 물론이고, 상대의 마음을 헤아리려는 노력이 더욱더 필요하다.

마음 헤아리기의 출발점은 나 자신의 마음이 되어야 한다. 내가 내 마음을 잘 돌아보고 헤아리며 사느냐 아니냐에 따라 상대의 마음을 헤아리는 능력이 달라진다. 그에 따라 인간관계에 대한 고민과 갈등은 줄어들 수도 늘어날 수도 있다.

모든 사람에게 있어서
가장 필요하고 중요한 연구대상은
바로 그 자신이다.

— 톨스토이

사람들이 자신의 마음도 잘 모르는 이유

당신은 당신 마음의 지배자인가? 이 질문에 예스라고 대답할 수 있는 사람은 아마 거의 없을 것이다. 언뜻 생각하기에는 내 생각과 마음을 잘 조절하고 있다고 여겨질지 모르지만, 곰곰이 되짚어보면 내 마음을 조절할 수 없었던 순간이 더욱 많다.

필자 자신의 경험을 잠시 털어놓겠다. 작년에 체중이 크게 늘었을 때의 이야기다. 몸무게를 줄이기 위해 초콜릿 같은 달콤한 간식을 먹지 않겠다고 결심하고 실천한 지 한 달도 안 된 어느 날이었다. 점심을 먹고 올라와서는 자연스럽게 문 앞에 놓인 사탕을 들고 연구실로 들어갔다. 그러고는 인터넷 뉴스를 보며 사탕을 먹던 중 책상 위 사탕 포장 비닐이 눈에 띄는 순간 아! 하면서 탄식하고 말았다. 포장 비닐을 보기 전까지, 나는 사탕을 먹고 있다는 사실조차 인지하지 못했다. 나도 모르게 평소 너무나 좋아하는 밀크 캐러멜 사탕의 유혹에 빠져버렸던 것이다.

원인은 무엇일까? 속마음이 작용했기 때문이다. 당시 나는 '살을 빼기 위해 단 것을 줄이겠다'는 결심을 한 달이나 지킨 상황이었다. 그럼에도 불구하고 속마음은 순간적으로 '와! 내가 좋아하는 밀크 캐러멜 사탕이다!'라는 반가움에 크게 반응했고, 습관적으로 내 손은 사탕을 입에 넣어버렸던 것이다.

이처럼 머릿속 생각과 몸의 움직임이 항상 일치하지는 않으며, 사실은 따로 놀 때가 자주 있다. (이렇게 본능적이고 감성적인 마음의 작동 체계를 1번 체계라고 한다. 우리 마음을 움직이는 두 가지 체계 중 첫 번째로서, 이와 관련해서는 뒤에서 더 자세히 설명할 것이다.)

이성적이고 합리적인 생각의 체계와 본능적이고 감성적인 마음의 체계는 서로 다른 의도와 의미를 가질 수 있으며, 모든 인간은 이러한 양면성을 지닌다. 이를 인식하고 있어야 하는데, 대부분의 사람들은 자기가 의도한

대로 마음이나 몸을 움직일 수 있다고 착각한다. 실은 때때로 그 반대를 경험하면서도 말이다.

스스로 가지고 있는 생각과 마음의 양면성 이외에도 마음의 작동 방식과 관련해 알아야 할 것이 있으니, 바로 이름도 유명한 '방어기제defense mechanism'이다.

내면의 감시자, 자기 검열

우리는 우리 자신의 마음조차 잘 알지 못한다. 그 주요한 이유 중에는 자신도 모르게 습관화되어 버린 '검열'과 '통제'가 있다.

우리는 태어나면서부터 계속 생각의 검열, 통제를 습관화한다. 막 태어났을 때 당신은 자신과 남을 구분하지 못했다. 자신과 전체 세상을 구분하지 못하는 '하나로서의 마음'을 가지고 있었다. 엄마의 젖을 빨면 젖이 나오는 단순한 세상에 살 때 당신은 엄마와 자신을 구분할 수 없었다. 그러다가 자라면서 점점 나와 타인을 구분할 수 있게 된다.

나와 타인, 엄마와 아빠를 분간할 수 있게 된 당신에게 부모님은 묻는다.
"엄마가 좋아, 아빠가 좋아?"

부모님만이 아니다. 할머니 할아버지에 친척들까지, 주변의 '타인들'을 인식하며 당신은 점차 상대의 반응을 염두에 두게 된다. 내가 이렇게 반응하면 상대가 좋아하는구나 또는 실망하는구나, 싫어하는구나 등을 깨닫는다. 그리고 나아가 반응을 조절하게 된다.

처음에는 "엄마가 좋아, 아빠가 좋아?"라는 질문에 뭣도 모르고 대답했지만, 눈치가 생기면서 상대에 따라 다른 대답을 내놓을 것이다. 당신은 아빠와 엄마 앞에서, 할아버지와 할머니 앞에서, 외가 식구들과 친가 식구들 앞에서 각기 다른 대답을 하고 그것을 훈련한다. 이른바 '자체 검열의 습관화'이다.

이러한 자체 검열의 습관화는 아주 어려서부터, 사회 속에서 자연스럽게 발달되어 간다. 아주 어린 시절, 아기 때부터 우리는 크든 작든 내 마음을 숨기는 연습을 한다. 진심을 감추는 데 익숙해질수록 내 안에 숨겨놓은 마음에 대한 관심도 사라지며, 나중에는 모르는 것이 당연시된다.

자, 당신은 이제 성인이 되었다. 첫 만남에서는 항상 예의를 갖춘다. '내 첫인상이 어떨까' '내가 이렇게 말하면 어떻게 받아들일까' '상대가 나를 어떻게 생각할까' 등 따져보는 습관이 당신의 머릿속에서 자동적으로 이루어진다. 첫 만남에서 솔직한 마음을 털어놓는 경우는 거의 없다. 어떠한 인간 관계든 대부분은 예의 바르게, 자신을 포장한 채로 시작된다. 그러다 관계가 가까워지면 마음을 조금씩 보여주기 시작한다. 서로 알아가고 가까워지려 노력하지만, 정작 중요한 문제는 자신도 진짜 자기 마음을 잘 모른다는 것이다.

미션 : 진심을 숨겨라!

"포커페이스를 유지하려면 어떻게 해야 하죠?"

종종 이렇게 묻는 사람들이 있다. 자신의 감정을 숨기지 못해 괴롭다는 것이다. 좋아하는 사람이 같은 공간에 있으면 낯빛이 눈에 띄게 밝아지니 주변 사람들이 모두 그 사람의 짝사랑을 눈치채고 마는 스타일이다. 업무 관계나 미팅에서 평정을 유지하지 못하는 바람에 애를 먹는다는 사람도 있다. 자신의 표정을 숨기지 못한 나머지 상대의 페이스에 말리거나 일을 망쳤다는 이야기를 들으면 누구라도 안타까움을 느낀다. 그런가 하면 아주 작은 신체 반응이나 제스처를 통해 다른 사람의 마음을 읽는 기술에 대한 관심은 아주 높다.

내가 가진 패를 숨기기 위해 표정을 감추던 도박사들의 기술이었던 포커페이스는, 오늘날 현대인들에게 있어 사회생활의 유리한 고지를 차지하는 중요한 능력으로 여겨지고 있다. 실제로 진심을 감춰야 이로운 경우가 많다 보니 마음을 감추는 데 익숙해지고 남이 보기에 좋은 모습, 사회적으로 바람직한 모습만을 보이기 위해 노력한다. 그리고 그런 노력을 반복하다 보면 어느새 그 모습이 본래 자기 모습인 양 착각하게 된다.

그런데 이 '포커페이스'가 사회생활 중에만 습득하는 것이라고 생각하면 오산이다.

많은 사람이 아주 어린 시절부터 포커페이스를 강요받고, 자신도 모르는 사이 감정을 숨기는 법을 익힌다. 특히 성장 환경이 자율적이지 못하고 통제받는 분위기였거나 주위 사람들에게 자신의 뜻을 표현했다가 혼나거나 거절당한 경험이 많을수록 더욱 자신의 마음을 솔직히 표현하지 않는다. 과잉보호를 받아 자율성이 떨어질수록 자신이 정말 원하는 것이 무엇인지 모른 채 살아간다. 자신을 있는 그대로 드러낼 수 없는 무서운 환경에서 자랐을수록 진심을 감추고 억누르는 습관을 갖게 된다.

"네 맘대로 하면 안 돼. 옷은 이렇게 입는 게 예쁘고, 신발 끈은 이렇게 묶어야지!"

"어른들 앞에서 식사할 때는 입을 꼭 다물고 음식을 씹어야 해."

"젓가락질을 왜 그렇게 하니? 가르쳐준 대로 똑바로 해야지."

"아직 나이도 어린 게 뭘 안다고 그래. 다 너를 위해서 하는 말이야. 시키는 대로 해!"

빈도의 차이는 있을지라도, 우리는 어린 시절 어른들로부터 이러한 말을 자주 들으며 자란다. '하고 싶은 대로'보다는 '해야 하는 대로'에 익숙해질수록 진짜 '하고 싶었던' 속마음은 감추다가 잊어버리고 만다.

대부분이 그렇다. 어릴 적에는 누구나 좋으면 방방 뛰며 기뻐하고, 싫으면 도리질 치고 도망가거나 울었다. 그러던 아이가 자라나 학교에 가고 청년이 되고, 중년, 장년이 되면 어떻게 되는가? 싫어도 싫은 티를, 좋아도 좋은 티를 제대로 내지 못한다. 선물을 받거나 좋은 소식을 들어도 마음 표현하기를 어색해하다 보니 주변으로부터 이런 말을 듣기도 한다.

"정말 기쁜 것 맞아? 어째 반응이 그래?"

당신도 자기 통제에 익숙해진 나머지 내면에서 들려오는 진심의 목소리를 잊고 사는 것은 아닌가?

마음의 시력을 높여라

영화 〈눈먼 자들의 도시〉는 전염병으로 인해 모두가 앞을 못 보게 된 세상에서 벌어지는 비참한 상황을 다룬다. 영화를 보고 나면, 현대사회가 눈에 보이지 않는 것에 무심하며 심지어 폭력적이기까지 하다는 사실을 절감하게 된다.

현대인들은 제도와 규칙, 체면 등에 크게 의지하며 그것을 거의 절대 기준으로 생각한다. 그러면서도 왜 제도와 규칙이 만들어졌으며 무엇 때문에 체면을 지켜야 하는지 그 이유는 잊어버린 채 살아간다. 겉으로 나타나는 것, 눈에 보이는 것에만 의지하고 있다.

대표적인 것이 돈이다. 돈이 많아지면 하고 싶은 것을 모두 하고, 사고 싶은 것을 모두 살 수 있으리라는 생각, 다시 말해 행복의 원천이라는 생각이 요즘 우리 사회 전반을 지배하고 있는 듯하다. 1960~70년대에는 새마을운동을 통해 경제적인 부가 행복을 가져다줄 것이라는 생각이 국가적 차원에서 강조되기도 했다.

돈과 행복을 연결 짓는 것이 틀린 생각은 아니다. 다만 돈이 있다고 행복이 따라오지는 않는다는 것이다. 즉, 돈이 행복의 충분조건은 아니다. 생각해 보라. 우리나라는 산업화에 성공했고 국가적인 경제규모도 커져서 물질적으로 풍요로워졌다. 그렇다면 우리 국민은 정말로 예전보다 행복해졌는가? 국가별 행복 순위에서 대한민국은 항상 하위권에 머무른다. 자살률은 세계 최고이다. 돈이 행복의 전부는 아닌 것이다.

외모 지상주의와 스펙주의 또한 눈에 보이는 것만을 중시하는 사회상을 보여준다. 겉모습을 예쁘게 만들어야, 학벌과 스펙이 화려해야, 사는 동네와 타는 차가 좋아야 남들이 나를 인정해줄 것 같고 행복해질 것 같은 생각. 실로 많은 사람이 이러한 생각에 사로잡혀 있다.

그러나 화려한 겉모습과 인성은 별로 관계가 없다. 훤칠하고 시원시원하게 잘 생긴 사람이 알고 보면 가는 곳마다 갈등과 문제를 일으키는 미숙한 성격의 소유자일 수 있다. 뛰어난 학벌과 스펙을 가졌지만 사람을 상대하는 데는 서툴고, 어딘가 모르게 불편하고 거리감이 느껴지는 사람일 수도 있다.

사람의 마음을 헤아리는 능력, 마음의 시력은 눈에 보이지 않으며 측정하기도 어렵다. 그러나 인생이라는 장기적 관점에서 보면, 나와 상대의 마음을 헤아리는 능력이야말로 겉으로 보이는 것들 이상으로 중시되어야 한다.

행복한 삶을 위해 내면의 성숙과 성장은 무척이나 중요하다. 그러나 목적 지향적인 현대 사회에서는 마음의 시력, 보이지 않는 것들의 중요성이 점점 작아지는 듯 느껴져 안타깝다.

마음의 눈이 멀어져 가는 이유

오늘날 우리는 상대의 말을 믿을 수 없는 사회에 살고 있다. 무조건 계약서를 써야 하고, 글로 남겨야만 한다. 돈이 오가거나 계약 조항을 문서화하지 않으면 그 무엇도 믿지 못한다. '문서'와 '증거'를 요구하는 사회에서 '진심'은 더 이상 고려 대상이 될 수 없다. 그러나 진심이야말로 행동의 결과를 결정짓는 가장 근본적인 요소이다. 겉보기에는 똑같은 행동을 했을지 몰라도, 진심을 담아서 한 행동이냐 아니면 진심을 숨기거나 왜곡한 행동이냐에 따라 결과는 확연히 달라진다.

영화 〈리플리〉는 상류사회를 동경한 나머지 자신을 위장하고 나아가 상류층 친구의 신분을 도용하며 점차 거짓말을 키워가는 남자의 이야기를 다룬다.

주인공 리플리는 우연한 기회에 명문대 출신으로 신분을 위장하고 상류층의 방탕아 디키를 만난다. 디키의 화려한 생활에 매혹된 리플리는 그와 친구가 되지만, 사실 리플리의 진심은 우정을 쌓는 것이 아니라 디키를 이용해 상류사회의 삶을 이어가는 데 있었다. 결국 리플리는 자신의 거짓을 지키기 위해 살인까지 저지르는 파국적인 결말을 맞이한다.

진심이 가려진 관계, 속내를 숨긴 행동의 결과는 뻔하다. 그 끝은 결코 행복할 수 없다. 최근 우리 사회에서 드러난 유병언, 조희팔 등 희대의 사기꾼이라 불리는 인물들만 봐도 호화롭고 영화로운 삶은 한때요, 결국 사회적으로 큰 해악을 남기고 비참한 말년을 맞이하지 않았던가. 반대로 백성을 진심으로 아끼고 사랑하는 마음에서 한글을 만든 세종대왕과 같은 인물은 대대로 칭송과 존경을 받으며 후대에 행복을 선물하였다.

경쟁 위주의 사회 분위기도 마음과 마음이 만나지 못하는 데 큰 몫을 한다. 누군가를 떨어뜨리지 않고서는 올라갈 수 없는 사회에서 경쟁 상대와 진심으로 소통하는 것은 쓸데없는 일을 넘어 해로운 일로 여겨질 수 있다. 치열하게 경쟁하고 싸워서 이기려면 상대의 마음을 내 뜻대로 조종해야 한다는 생각도 하게 된다. '남의 마음을 헤아리는 일'은 쓸데없는 오지랖처럼 여겨진다.

슬프게도 우리는 어린 시절부터 이와 같은 생각을 은연중에 습득한다. 중학교, 초등학교, 유치원으로 그 연령대도 점점 낮아지고 있는 듯하다. 아이들은 마음을 터놓고 지낼 진정한 친구를 만들기보다, 학원에 다니고 과외를 받으며 '경쟁력'을 갖추기를 강요받는다. 이런 분위기에서 요즘의 부모가 관심 있어 하는 것은 아이의 친한 친구가 아니라 우리 아이가 남들보다 조금이라도 앞서 있는지 아닌지 여부다.

이런 경쟁 분위기에서 성장한 아이들이 주축이 된 사회는 어떨까? '남이 죽든 말든 나만 아니면 돼'라는 생각이 팽배해진다. 인간관계에서는 '진정한 속마음'은 모른 채 겉모습과 드러난 능력, 재력만이 상대를 평가하는 잣대가 된다. 부부라는 가장 가까운 사이에서조차 외적 조건이 중요해지면서 진심과 진심이 만나지 못하는 비극을 겪는다. “사랑 따윈 필요 없고, 그저 조건 맞는 사람 만나서 평탄하게 살래요”라는 사람이 늘어난다.

그러나 아무리 외적 조건이 잘 맞는다 해도, 두 마음이 만나지 못하면 갈등이 생길 수밖에 없는 것이 인간관계이다. 외적인 조건만 맞춰서 가정을 이루면 마음의 불통不通이 가정을 파괴하고, 그 안에서 자란 자녀들은 어린 시절부터 싸우고 갈등하는 엄마와 아빠를 보며 마음의 상처를 받으면서 자라게 된다.

조화를 추구하는 것이 우리의 본성이다

사람의 본성은 함께하고 같이 가는 데 있다. 내면 깊숙한 데서는 누구나 ‘혼자’보다는 ‘함께’를 좋아한다. 비단 사람과의 관계만이 아니다. 환경과 조화롭게 사는 것, 자연과 어우러져 사는 것이 우리의 본성에 가깝다.

그러나 현대 과학 문명이 고도로 발달하면서 바람직한 인간의 사고와 행동 방식의 기준에 변화가 일어났다. 대상의 특징을 분석해 차이점을 나누고 분리해가다 보면 그것을 구성하는 가장 근본적인 단위를 발견할 수 있다는 이원론적 사고방식을 이상적으로 여기는 경향이 강화되었다.

이 과정에서 자신을 초월한 우주 전체를 하나로 인식하며, 공통점을 찾아 연결해가는 전통적인 일원론적 사고방식은 위축되고 말았다. 나무가 아닌 숲을 보는 통합적이고도 철학적 사고를 하는 뇌기능의 중요성을 간과하는 시대적 경향이 우세해졌다. 인간은 자신이 속해서 살고 있는 자연과 스스로를 분리해 생각하게 되었고, 자연을 편리함과 부를 취하려는 자원, 지배의 대상으로만 여기게 되었다. 그 결과 거리낌 없이 자연을 파괴하고, 삶의 터전인 자연과의 조화로운 삶으로부터 점점 더 멀어지게 된 것이다.

이제 다시 '경쟁'이 아닌 '동반'으로 인간관계의 축을 옮겨볼 때이다. '계약' 관계가 아닌 '신뢰' 관계로 무게 추를 이동시켜야 한다. 요즘 같은 사회에서 동반이니 신뢰니 하는 말은 회자되긴 하더라도 실제 삶에서 잘 와 닿지 않는다. 그러나 계약관계가 오래갈까, 신뢰관계가 오래갈까? 평생토록 혼자 살기를 선택할 것인가, 어우러져 함께 살기를 선택할 것인가? 이 두 가지 질문을 진지하게 생각해 보면 어느 쪽을 더 중시해야 하는지 답이 나온다.

주위의 사람을 의심하기보다 믿고 함께할 수 있는 사회가 훨씬 더 좋은 사회인 것은 분명하지 않은가? 그러기 위해서는 겉모습보다는 속에 담긴 인격의 가치를 중요하게 여기는 사회, 마음과 마음이 통하는 사회가 되어야 한다. 정반합의 원리를 생각할 때, 6.25 전쟁 이후 한동안 '외적 성장'에만 치우쳐 온 우리나라도 이제 보이지 않는 '내면의 성숙'을 중요하게 여기는 사회로 변해가리라 기대한다.

폭발하는 화산 옆에서 살 수 있을까?

요즘은 조화를 추구하는 본성이 잊히고, 본능만이 강조되고 있다. 본능적 감정과 충동이 자연스러운 것이란 점만 부각되면서 절제되지 않은 원초적 감정들이 행동화되어 나타난다.

사람들은 성욕을 긍정하는 것을 넘어서 자신의 성욕을 거리낌 없이 표출한다. 이기고 싶은 마음, 돈과 명예와 권력을 잡고 싶은 마음이 도를 넘어선 나머지 '이런 게 세상이지, 뭐가 잘못이야' '이기는 사람이 올바른 사람'이라는 식의 왜곡된 사고로 드러나기도 한다. 화가 나면 그 자리에서 흉기를 꺼내 들거나 어떤 것에든 혹은 아무에게라도 화풀이하지 않고는 못 배기는 사람이 늘고 있다.

이처럼 나의 본능을 충족시키는 데만 관심이 있고 타인의 본능과 본성을 배려하지 않는 사람과의 인간관계는 위태로울 수밖에 없다.

본능이란 화산 속 용암과 같다. 용암이 분출하지 않고 폭발하지 않는 활화산 주변은 따뜻한 지열 지대이다. 적절한 수준의 본능은 삶의 활력소가 되며 타인과의 관계에도 좋은 영향을 미친다. 발산하는 에너지가 인간관계에 적당한 체온, 즉 인간적이고도 따뜻한 정서를 불어넣을 수도 있다.

그러나 화산이 폭발해 버리면? 재만 남고 그 주변에는 아무것도 남지 않는다. 심지어는 폭발 이후에도 한동안 그 누구도 정착할 수 없는 위험 지대, 황폐한 폐허가 되고 만다.

인간의 본능은 조절이 필요하다. 본능을 조절하지 않은 채로 살며, 거침없이 표현하는 것은 폭발하는 화산과 같다. 폭발하는 화산 아래에서 사람이 살 수 없듯이 그 자신을 둘러싼 모든 관계가 파괴되고 궁극적으로는 파멸에 이르는 것이다.

진짜 나와 마주하기 위한 여행을 시작할 때

초경쟁 사회에서 우리 젊은이들은 그야말로 앞만 보고 달리고 있다. 스펙 한 줄에 매달리고, 어떻게 하면 조금 더 멋지고 예뻐 보일지, 날씬해질지 고민한다. 금수저, 흙수저 얘기가 나오고 태어난 조건과 외모를 탓하고 상대방과 비교하며 좌절하기도 하고 마음의 상처를 입기도 한다.

그러나 나이가 들면 외모도, 학력도, 부도 어느 정도 평준화된다. 갑부가 되어야 행복한 것도 아니요, 지나치게 가난해서도 안 되며, 그저 적당히 먹고살 돈이 있으면 그것이 행복의 기본 조건임을 깨닫는다. 제아무리 경국지색이라 해도 세월이 흐르면 화무십일홍花無十日紅(한 번 흥한 것은 반드시 쇠한다는 뜻)임을 절감하고 수더분한 사람이 되어간다. 고졸이니 대졸이니, 어디에 있는 무슨 학교를 나왔느니 하는 것들로 인생이 결정되지 않는다는 사실도 깨닫는다. 청년기에는 '더 높은 곳'만 추구하던 사람도 어느덧 '평균 안에 들어가기만 한다면'하고 바라게 된다. 그렇지 않고 나이가 들어서도 1등만을 추구하며 살다 보면 삶의 여유가 사라지고 오히려 행복에서 멀어지는 경우가 흔하다.

행복을 위해 우리가 진실로 갖추어야 할 것은 남부러운 부나 명예, 외모가 아니다. 바로 나와 주변 사람들을 '우리'로 연결해주는 '마음 헤아리기' 능력이다. 나 자신과 상대방의 진심이나 참된 의도, 속마음을 헤아리는 능력 말이다.

그러나 '마음 헤아리기' 능력은 하루아침에 얻어지지 않는다. 마음은 빠른 속도로 변하기 때문에 남의 마음은 물론이고 자신의 마음을 제대로 아는 것도 녹록지 않다. 마음을 모두 아는 것은 불가능하며 숙련된 정신분석가들도 자신의 마음을 다 알지는 못한다. 그래서 삶이란 평생 내 마음이 진짜 원하는 방향을 찾아가는 여행과 같다.

앞서 인간관계의 위계관계에 관해 이야기하였다. 필자는 부부관계를 자녀나 친구보다도 더 가까운 인간관계로 생각한다. 친구나 자녀와는 나눌 수 없는 이야기, 그들에게는 보여줄 수 없는 삶의 부분조차 부부 사이에서는 공유되고, 또 공유되어야만 하기 때문이다. 이때 나와 상대에 관해 얼마나 알아야 '마음 헤아리기'를 잘한다고 할 수 있을까? 수치화하긴 어렵겠지만 필자가 추정하기엔 '나 자신의 마음을 4분의 3이라도 알고, 배우자의 마음을 절반이라도 안다면 성공적'일 것이다.

어쩌면 여러분은 '그 정도면 문제없겠는데'라고 생각했을지도 모른다. 그러나 실은 자기 마음속 흐름의 절반 이상만 알아도 대단한 일이다. 당신은 자신의 마음을 얼마나 안다고 생각하는가? 당장 '내가 진짜 원하는 삶이 무엇인가'를 자문해 보라. '지금 정말 원하는 것이 무엇인가'도 생각해 보라. 첫 번째 떠오른 생각을 붙잡고 있다 보면 다른 생각이 나면서 그것이 정말 자신이 원하는 것인지 선뜻 대답하기가 쉽지 않을 것이다.

그러니 오늘부터라도 나의 진심, 내가 원하는 것이 무엇인지 계속해서 찾아 나가도록 하자. 그리고 배우자를 비롯해 내 삶의 중요한 사람들이 정말 원하는 것이 무엇인지를 찾자. 마음을 헤아리기 위한 노력은 죽는 날까지 계속해도 절대로 모자라지 않다.

사회적 가면을 인식함으로써 일어나는 변화

'당신은 누구인가'라는 물음에 뭐라고 답할 것인가? 모모 회사의 모 대리? 누구의 아내이자 엄마? 누구의 딸 또는 아들? 이렇게 자신의 역할을 바로 자기 자신이라고 착각하는 사람이 많다. 소위 페르조나를 자신의 본질이라 오해하는 것이다.

페르조나persona란 '가면'이라는 고대 그리스어에서 유래한 말로, 세상을 살아가기 위해 쓰게 되는 사회화된 가면을 뜻한다. 우리 모두는 지위, 직책, 신분 등 페르조나의 가면을 쓰고 사회라는 무대 위에서 각자의 연기를 펼치고 있다. 페르조나는 사회에서 요구하는 동시에 본인이 추구하는 것이기도 하다. 각자의 맡은 자리에서 자신의 역할을 잘 수행하는 것, 이것이 페르조나에서 요구되는 삶이다.

이러한 페르조나의 대척점에 있는 것이 그림자shadow이다. 페르조나로 인해 생기는 후유증after effect이라고 볼 수 있다. '누구의 아들이자 한 가정의 가장이고, 어느 회사의 어떤 직책에 있는 나'라는 페르조나로서의 삶을 살다 보면 지치고 힘든 때가 많다. 내가 바라는 삶과 남이 바라는 내 삶 사이에서 갈등하며 '이게 아닌데…' 싶은 생각이 들기도 한다. 그런 과정에서 마음속 깊은 곳에 고뇌와 불만, 어두운 심정과 용납되지 않는 욕구 등이

차곡차곡 쌓이게 된다. 이것이 페르조나의 그림자, 바로 섀도인 것이다.

자신을 제대로 알기 위해서 페르조나를 벗어야 할까? 아니면 그림자를 없애야 하는 걸까? 아니, 우리는 그 두 가지를 수용하고 또 연결시켜야 한다. 페르조나도 현실이고, 그림자도 현실이기 때문이다.

다시 '당신은 누구인가'에 대한 질문으로 돌아가 보자. 내가 나의 본질인 줄 알았던 것이 실은 페르조나임을 깨달으면 그 자리에서 떨어져 자기를 바라볼 수 있다. 페르조나로 인해 힘들어하고 있는 나를 알아차리고 스스로 위로할 수 있게 된다.

집안의 독재자라는 평을 들어온 장남이라면 '부모님과 동생들을 돌봐야 한다는 의무감에 가득 차서 살아오다 보니 나 자신과 가족들을 힘들게 몰아붙인 측면이 있구나' 하고 알게 되는 것이다. 워킹맘인 여성이라면 '가정에서는 다정한 엄마이자 아내, 회사에서는 일 잘하는 팀장'이라는 페르조나로 인해 때때로 불안, 불만, 그리고 종종 죄책감을 느끼게 하는 어두운 생각이 치솟았음을 깨닫게 된다.

이리저리 치여 살다 보면 '내가 요즘 왜 이렇게 불안하지' '이러다가 미치는 거 아닐까' '나는 왜 이렇게 부족하고 못났을까'라는 생각이 들 때가 있다. 페르조나를 깨닫고 그림자를 인식하면, 불안과 자책을 넘어서서 자기 내면의 상태를 좀 더 자세히 살펴볼 수 있게 된다. 그러한 생각들의 뿌리를 알아차리는 것이다.

페르조나와 그림자에 대한 생각은 타인의 마음을 헤아리는 데도 도움이 된다. '저 지위에서 역할을 수행하려다 보니 저런 생각과 행동을 하는 패턴이 생겼구나'라고 상대의 마음을 헤아릴 수 있다.

페르조나와 그림자를 연결시켜 생각하는 데는 많은 노력이 따른다. 중요한 것은 자신의 마음은 제3자의 입장에서 객관적으로, 타인의 마음은 그 사람의 입장에서 주관적으로 헤아려야 한다는 것이다. 내 마음은 보다 객관적인 입장에서 끊임없이 의문을 가지고 성찰해야 한다. 타인의 마음은 내가 그 사람이 된 듯 그 사람 마음속에 있다고 생각하며 이해하려고 노력해야 한다. 이것이 '마음 헤아리기'의 기본 태도다.

이렇게 살기 위해 노력하는 사람은 타인과 마음이 연결되어 가까워질 수 있으며, 참자기(참된 자신)를 만나게 되고 참자기가 원하는 삶을 향해 나아갈 힘이 커진다. 다시 말해, 인간 본성을 회복하고 자신의 내면 맨 아래까지 내려가 진짜 원하는 것, 진짜 속마음을 알게 되므로 진정으로 행복한 삶을 살 수 있게 된다.

정신분석이란 마음속 깊숙이 숨어 있어 잘 모르고 지내던 자신의 참모습을 만나는 여정과 같다. 함부로 누군가의 마음을 단정 짓거나 다 안다고 판단하지 않는 것은 그 여정을 가는 여행자의 기본 덕목이다. 누군가의 표현과 그 속에 숨은 마음을 헤아려 받아들이려 할 때, 그의 입장에서 생각하려고 노력할 때, 비로소 그 누군가를 이해할 수 있게 된다. 그리고 그때야 상대와 진정으로 가까워질 수 있다. 이해받고 있다는 걸 느끼면 사람은 상대에게 마음을 열기 마련이다. 진실한 인간관계란 그런 식으로 발전해 나가는 것이다.

삶이란 자기 자신의 마음이
원하는 방향을 찾아가는 여행과 같다.

함부로 누군가의 마음을 단정 짓거나
다 안다고 판단하지 않는 것은
그 여정을 가는 여행자의 기본 덕목이다.

마음을 움직이는 습관, 방어기제

내 생각을 숨기고 감정을 억누르며 나의 마음과 행동을 외부 상황에 맞추어 움직이기 위한 것이 자기 검열과 통제이다. 이는 '방어기제'로 포괄하여 이야기할 수 있다.

방어기제란 '자신을 보호하기 위해 마음속에서 저절로 작동하는, 생각과 감정을 처리하는 습관'이라 할 수 있다. 나이가 듦에 따라 다양한 형태로 발달하며, 의식적인 수준보다는 잠재의식이나 무의식 수준에서 우리의 감정이나 행동을 왜곡시킨다. 그 때문에 진짜 자신의 마음, 감정, 생각을 알아차리지 못하거나 진심과는 다른 엉뚱한 방향으로 말하거나 행동하는 주된 이유가 된다.

우리의 내면은 절대 고요하지 않다

드라마에 자주 나오는 기억상실이나 해리는 자신의 정체성을 잠시 잃어버리고, 내가 나 자신인지 혹은 이것이 꿈인지 현실인지 모를 비현실감에 휩싸이는 현상이다. 이런 현상은 너무나 충격적인 상황에서 자신을 그 충격으로부터 보호하기 위해 일어난다.

일례로 동승자가 사망할 정도로 큰 교통사고를 겪은 경우, 머리를 다치지 않았는데도 의식을 잃었다가 깨어난 후에 그 상황을 기억하지 못하는 사람이 있다. 이런 사람이 상황을 선명히 기억하는 사람보다 외상후스트레스장애를 덜 겪는다. 반대로 그 모든 상황을 뚜렷하게 목격하고 의식을 유지했던 사람은 오히려 외상후스트레스장애를 더 심하게 겪을 가능성이 높다. 즉, 해리와 기억상실은 우리의 내면을 충격적 상황으로부터 잘 보호해줄 수 있는 심리적 방어기제이다.

해리는 잠재의식이나 무의식 수준에서의 현상이기 때문에 '기억하지 말아야지' 한다고 해서 생기는 것이 아니다. 자동적으로 일어나는 것이다.

억압과 억제 역시 방어기제의 일종이다. 단어만 보면 비슷해 보이지만, 두 가지는 확실히 다르다.

억제는 충동이나 욕구를 자신의 의지로 참는 것으로, 의식적인 차원에서 이루어진다. 예를 들어 누군가와 대화를 나누다 크게 화가 났다고 해보자. 지금 당장 자리를 엎고 나가버리고 싶다. 그러나 화가 난 마음을 그대로 표현했다가는 상황이 나빠질 것이 불 보듯 뻔하기에 화를 억누르고, 큰 소리로 화내거나 상대에게 주먹을 휘두르고 싶은 마음을 다잡는다. 다이어트를 위해 식욕을 억누르는 것도, 부적절한 상황에서 성욕을 참는 것도 이러한 '억제'에 해당된다. 억제는 의식적인 수준의 자기 방어기제인 것이다.

이와 달리 무의식 수준에서 자기 생각이나 감정을 눌러서 의식 위로 떠오르지 않게 하는 것이 억압이다. 억압은 히스테리성 인격장애 환자들에게서 많이 나타난다.

투병 중인 아버지를 오랫동안 돌봐온 여성이 있었다. 어머니는 아버지의 상태에 무관심했기에 간병은 전적으로 그녀 혼자의 몫이었다. 아버지가 그만 돌아가시면 좋겠다거나 훌쩍 도망치고 싶다는 생각이 불쑥불쑥 들 정도로 지쳐있는 상황에서 갑자기 한쪽 팔에 마비 증상이 나타났다. 뇌 손상은 없었고, 어떠한 신체적 이유도 찾을 수 없었다. 다만 아버지를 돌보느라 힘들었던 팔이 한순간 마비된 것이다.

그 밖에도 갑자기 내 팔이 내 것이 아닌 것 같다든지, 남의 팔이 내 몸에 달린 느낌이라든지, 내 팔이 자신의 의지와 상관없이 마음대로 움직인다든지 하는 증상을 겪는 사람들이 있다. 자신도 모르는 사이 행동과 마음을 분리시킨 결과이다. 자신은 전혀 의식하지 못하는 상황에서 말하거나 행동하는 현상의 이면에 '억압'이라는 기전이 작동하고 있는 것이다.

우리의 내면은 절대 고요하지 않다. 우리가 알아차리지 못하는 순간에도 여러 가지 방어기제가 왜곡현상을 일으키고, 이 같은 왜곡을 거쳐 밖으로 표출된다. 어떠한 행동이나 감정이 나타나기까지, 잠재의식 수준에서 상당히 많은 일이 일어나고 있는 것이다.

방어기제를 알면 인격적 성숙도가 보인다

방어기제를 사용하는 수준이 그 사람의 인격적 성숙도를 반영할 수 있다. 하버드 대학교의 조지 베일런트George Vaillant 교수는 인격의 성숙 정도에 따라 방어기제를 네 가지 수준으로 나누었다. 그에 따르면 병적 방어기제(1수준)나 미성숙한 방어기제(2수준)를 주로 사용하는 경향을 보이는 사람이 있고, 혹은 그보다 나은 신경증적 방어기제(3수준)를 나타내거나, 성숙한 방어기제(4수준)를 주로 사용하는 사람들이 있다고 한다.

당신은 얼마나 성숙한 사람인가? 지금부터 시작할 네 가지 방어기제에 대한 설명이 스스로 인격적 성숙도를 가늠하는 데 도움이 될지 모른다. 단, 상황에 따라 한 사람이 여러 가지 수준의 방어기제를 사용할 수 있고 미숙한 방어기제와 성숙한 방어기제가 혼합된 형태로 나타날 수 있다는 점은 염두에 두자. 성숙한 사람이라 하더라도 특수하게 처한 상황에서 자신을 보호하기 위해 미숙한 방어기제를 활용할 수도 있는 것이다.

또 한 가지, 주로 사용하는 방어기제에 대한 평가에 있어 나 자신에 대한 판단과 다른 사람들의 나에 대한 판단이 일치해야 제대로 된 평가라는 사실만큼은 잊지 말기를! 만약 나 자신은 성숙한 방어기제를 사용한다고 생각하는데 다른 사람들의 평가가 그렇지 않다면, 그 또한 내 마음을 더 자세히 돌아볼 필요가 있다는 방증일 것이다.

병적 방어기제

병적 방어기제는 가장 낮은 수준의 방어기제로서, 전환·부인·분열 등이 해당된다.

전환이란 해리와 비슷하다. 사랑하는 사람이 떠나간 뒤 말문을 잃고 실어증을 보이거나, 다리가 마비되었는데 뇌의 구조 및 기능에 이상은 발견되지 않는 경우, 억제하기 힘든 분노가 전신의 경련 발작을 일으켰는데 발작 당시 시행한 뇌파 검사에서는 이상이 없는 경우 등이 있다. 이처럼 히스테리 억압으로 인해 신경이나 뇌의 손상 없이 마비나 과잉행동이 나타나는 것이 '전환' 현상이다.

전환이 해리와 다른 점은 무엇일까? 전환은 의식이 비교적 뚜렷한 상태에서 마비나 이상행동이 나타나는 반면, 해리는 일시적으로 의식을 잃거나 자신에 대한 정체성, 현실과의 연결성을 상실하는 혼란을 동반한다.

누군가 자신에게 일어났던 일에 대해 '기억이 나지 않는다' '나는 그렇게 하지 않았다'고 주장한다면 그것은 병적 방어기제 중 부인으로 설명할 수 있다. 말 그대로 눈앞에 마주한 사실을 부인함으로써 자신을 보호하려는 것이다. 이런 현상은 중병에 걸린 환자들에게서 자주 볼 수 있는데, 일례로 암 진단을 받은 많은 환자들이 초기에는 '이것은 오진일 것이다. 나한테 그런 일이 생길 리가 없다'는 부인 현상을 보인다고 한다.

분열은 마음의 극단적인 치우침 또는 균형감 상실이라고 할 수 있다. 인간은 누구나 선한 측면과 악한 측면을 가지고 있다. 모든 일에는 좋은 측면과 나쁜 측면이 공존한다. 그럼에도 선한 맥락만 확대해서 전체가 모두 선하다고 믿거나 모두 악하다고 생각하는 것, 완벽하게 좋다거나 완전히 나쁘다고 생각하는 것이 바로 분열이다.

분열은 경계성인격장애 환자들에게서 많이 볼 수 있는데, 자신이 정말 나쁜 사람이라는 생각에 자신을 죽이고 싶은 마음이 간절하다가도 어느 순간 자신은 너무나 선한 사람인데 상대가 너무나도 악마 같은 사람이라며 이를 가는 식이다. 이렇게 선과 악을 칼로 베듯 분리해 생각하고, 이 사람은 전적으로 착하고 저 사람은 전적으로 나쁘다는 식으로 이분화해 버리는 것이 분열이다.

미성숙한 방어기제

병적 방어기제보다 조금 더 성숙한 수준이 미성숙한 방어기제이다. 환상·투사·행동화 등으로 나타난다.

환상은 말 그대로 현실과는 동떨어진 비현실적 세계에 빠져 생각하고 행동하는 것이다.

투사는 자신의 감정이나 생각을 상대의 것으로 생각하는 것이다. 자신이 미워하는 누군가에 관해 '그가 나를 먼저 미워했기 때문에 그 사람이 밉다'고 한다거나, 내가 나 자신을 부정적으로 보고 있으면서 '저 사람이 나를 무시하고 부정적으로 생각한다'고 여기는 게 투사의 예이다.

투사는 오해를 일으키기 쉬우며, 망상을 초래하기도 한다. 자신이 죽이고 싶도록 미운 대상이 있는데 그가 자신을 죽이기 위해 호시탐탐 기회를 노리고 있다는 식의 망상을 가지는 식이다.

행동화란 감정이 조절되지 않은 상태에서 행동으로 표출되는 현상이다. 분명 자신에게 좋지 않은 결과를 만들고 상대에게도 나쁜 결과를 초래하리라는 걸 알면서도 부적절한 행동을 조절하지 못한다. 행동화의 대표적인 예는 자해로, 내가 너무 밉고 싫다거나 살고 싶지 않다는 마음이 자기를 해치는 행동으로 나타나는 것이다. 분노를 조절하지 못한 나머지 상대에게 언어적·신체적 폭력을 행사하는 행위가 요즘 사회 문제로 떠오르고 있는데, 이 역시 행동화의 한 형태라고 할 수 있다.

신경증적 방어기제

위의 두 가지 방어기제(병적, 미성숙)가 주로 미숙한 성격 발달단계에서 사용된다면, 신경증적 방어기제는 일반적인 사람들에게서 많이 찾아볼 수 있다. 지금부터 하는 이야기는 누구라도 '아, 내게도 그런 면이 있는데'라고 할 법한 것들이다.

자신을 변호하는 합리화가 대표적이다. 자신이 하는 행동에 이유를 붙이는 것이다. 일례로 연인에게 심한 말을 하고서는 "내가 너에게 상처 주는 말을 한 건 네가 나를 힘들게 한 일들이 많아서 감정이 쌓였기 때문"이라고 이야기하는 것이 합리화이다. 주로 실수나 잘못을 변명할 때 드러나는데, 알면서 의식적으로 변명하기도 하지만 자신도 깨닫지 못하는 채 합리화하는 경우도 상당히 많다. 자동 반응으로 머릿속에서 자기 행동에 관한 변명이 만들어지는 것이다.

이솝우화 속 여우는 합리화가 어떤 것인지 잘 보여준다. 여우는 배가 고파 포도나무 아래에서 포도송이를 따 보려고 애쓰지만 포도송이가 너무 높이 달려 있어 도저히 먹을 수 없었다. 그러자 "아무나 따 먹으라지. 저 포도는 너무 시고 맛이 없어"라고 자신이 포기하는 데 대해 합리화를 한다.

한편, 불안하고 힘든 상황에서 지나치게 이성적이고 논리적으로만 생각하는 경우가 있다. 그러면서 실질적인 문제 해결이나 정서적 소통은 이루어지지 않는 방식으로 행동하는데, 이를 주지화라고 한다.

한 중년 여성이 암 진단을 받았다. 정신적인 충격은 물론이고 항암치료로 인한 고통 또한 컸다. 곁에서 지켜보던 이 여성의 남편은 부인의 암에 대해 공부를 시작했고, 유전자 변이와 발암물질에 반복적인 노출 등이 암의 원인이라며 특정 식품을 피하고 환경을 조절하기 위해 부단히 노력했다. 그러나 부인의 정서적 고통이나 어려움에는 전혀 관심을 보이지 않았는데, 이것이 바로 주지화이다. 강박적인 성격을 가진 경우, 스트레스가 증가했을 때 자주 사용하는 방어기제다.

머리로는 아는데 행동이나 습관, 성격 특성, 증상 등이 바뀌지 않는 경우도 있다. "저는 남을 쉽게 오해하고, 갈등을 일으키는 편이에요. 제가 피해의식이 많아서 그래요"라고 말하는 사람이 있다고 하자. 그런데 실제 삶에서는 피해의식으로 인해 갈등을 만들고 분란을 일으키는 행동을 계속한다면, 이 역시 머릿속으로 아는 것과 행동이 부합하지 않은 것이다. 이처럼 머리로 이해한 것과는 별개로 행동이나 증상은 변화되지 않는 것도 주지화의 한 형태라 할 수 있다.

해리 또한 일반적으로 나타나는 신경증적 방어기제이다. 아주 심한 흥분 상태에서 감정과 의식을 분리시키는 것으로, 자기 주변의 세상이 마치 영화관에서 보는 영화처럼 보이고 자신은 관객인 것처럼 생각된다. 즉, 비현실감을 느끼는 상태이다. 정서적으로 아주 고통스러운 상황이거나 기분이 너무 좋은 황홀경의 상태와 같이 감정적으로 심하게 고조되었을 때 일어날 수 있다. 히스테리성 인격 성향이 강한 사람들에게서 많이 나타난다.

성숙한 방어기제

아들을 죽인 살인범을 용서한 아버지가 있다. 혹자는 미담이라고 여기고 혹자는 불합리하다고 생각하기도 한다. 그 아버지 개인으로 보자면 굉장히 성숙한 방어기제를 사용하고 있는 것이다. 바로 승화이다. 억울한 일을 당해 화가 난 상태에서 피해 입힌 사람을 용서한다거나 그 사람과 화해한다거나, 가해자를 교화하여 올바른 길로 인도함으로써 분노를 승화하는 것이다.

갈등 상황이나 여타 힘든 상황에서 유머를 이용해 상황을 슬기롭게 극복해 나가는 사람 또한 성숙한 방어기제를 가졌다고 할 수 있다.

의식적인 단계에서 자신의 불합리하거나 부적절한 감정이나 행동을 통제하는 억제, 자신에 대한 생각을 넘어서 자기 자신의 행동이나 감정이 상대에게 어떤 영향을 미칠 것인지를 판단하여 생각하고 행동하는 이타성, 지금의 감정이나 생각과 상황 등이 미래를 어떻게 만들어갈 것인가를 예측하는 예견 또한 성숙한 방어기제이다.

내 마음의 작동 방식을 끊임없이 살펴라

이들 방어기제는 여러 가지가 섞인 채로 우리 내면에 존재한다. 직장상사 앞에서는 억제를 주로 사용하다가도 최근 사이가 나빠진 친구에게는 분열이나 투사 같은 방어기제를 사용해 말하거나 행동할 수 있다. 연인과의 관계에서는 성숙한 방어기제를 쓰려고 노력하던 사람이 가족들에게는 미숙한 방어기제를 사용할 수도 있는 것이다.

이렇게 우리 마음속에서는 여러 방어기제들이 뒤섞인 채로 작동하고 있다. 그러므로 인격적으로 보다 성숙한 사람이 되려면 자신의 행동과 감정 표현 이면에서 작동하고 있는 방어기제를 인식하기 위해 노력해야 한다. 병적이고 미숙한 방어기제는 가능한 사용하지 않도록 그 빈도를 줄여가면서

방어기제	분류	반응
병적 방어기제	전환	의식이 뚜렷한 상태에서의 마비나 이상행동
	부인	'기억나지 않는다' '나는 하지 않았다'
	분열	흑 아니면 백이라는 식의 이분화
미성숙한 방어기제	환상	현실과 동떨어진 생각과 행동
	투사	자신의 감정이나 생각을 상대의 감정으로 여기는 행동, 오해와 망상
	행동화	부적절한 행동을 조절하지 못함
신경증적 방어기제	합리화	자신의 행동에 이유를 붙임, 변명
	주지화	지나치게 이성적이고 논리적으로 생각하며 정서적 소통을 외면
	해리	자신과 주변 세상을 분리

성숙한 방어기제로 변화해 나가야 하는 것이다.

물론 이 또한 주지화의 함정에 빠질 수 있다. '앞으로는 병적이거나 미숙한 방어기제는 사용하지 말아야겠다'고 생각만 하고 실제 행동에서는 아무런 변화도 시도하지 않는다면 말이다. 아무리 방어기제를 외운다 한들, 병적인 방어기제에 빠진 채로 실제 행동과 성격 특성에 있어서 한 발자국도 나아갈 노력을 하지 않으면 소용이 없다.

자신의 마음이 어떻게 움직이는지를 알고 그것을 경험으로 깨달을 때, 비로소 변화가 일어난다. 그러기 위해서는 삶 속에서 자신의 모습을 잘 살펴보는 것이 중요하다.

동료와 다툰 후 관계가 서먹해졌다면, 혹시 자신의 꺼리는 감정을 상대에게 투사하고 있었던 것은 아닌가 곱씹어봐야 한다. '저 사람은 나랑 마주치는 걸 싫어해, 가능하면 나를 피하려고 해'라고 생각했지만 실은 '저 사람과 마주치기 싫다'는 자신의 감정을 투사한 데 불과하지 않았을까.

연인 또는 배우자와 반복되는 패턴의 다툼을 계속하고 있는가? 상대가 "당신은 항상 자기 잘못은 없다고 말하지. 사과할 때도 실은 전혀 미안해하는 것 같지 않아"라고 말한다면, 자신을 돌아보라. 언쟁할 때 항상 변명이 준비되어 있었다면 '아, 나는 이 사람과의 관계에서 합리화의 방어기제를 쓰고 있구나' 하고 알아야 한다.

나 자신이 너무 나쁜 사람인 것 같아 못 견디게 싫고 주변 사람들에게 더 손해를 끼치기 전에 사라져야겠다는 생각이 머릿속을 떠나지 않는다면, '내가 너무 극단적으로 생각한 건 아닐까, 선과 악을 분열시켜 선한 측면은 보지 못한 채 내 모든 것이 악하다고 생각하고 있었구나' 하고 깨달을 필요가 있다.

자신에 대한 깨달음을 얻기란 쉽지 않다. 방어기제가 작동하는 원칙을 진정으로 알기 위해서는 마음을 열고 성찰해야 한다. 그렇게 자신의 마음 속 움직임을 돌아보면서 정신치료나 정신분석을 통해 내가 가지고 있는 마음 습관을 깨닫고 변화시켜가는 과정이 필요하다.

이처럼 끊임없이 자신을 들여다보는 노력, 그렇게 얻어지는 깨달음을 통해 미숙했던 방어기제를 보다 성숙하게 변화시킬 수 있다.

본능 vs. 이성 : 마음은 어떻게 움직이는가

내 마음을 알기 위한 여정을 계속해 보자. 대부분의 사람이 컴퓨터나 핸드폰의 운영 체계는 알고 있어도 마음의 운영 체계, 작동 방식은 알지 못한다. 그러나 이것이야말로 나 자신을 알고 자신의 마음을 이해하기 위한 기초이다. 우리의 방어기제는 마음의 운영 체계 위에서 작동하는 프로그램이기 때문이다.

우리의 마음은 두 가지 차원으로 움직인다. 지형학적 차원과 구조적 차원이 그것이다.

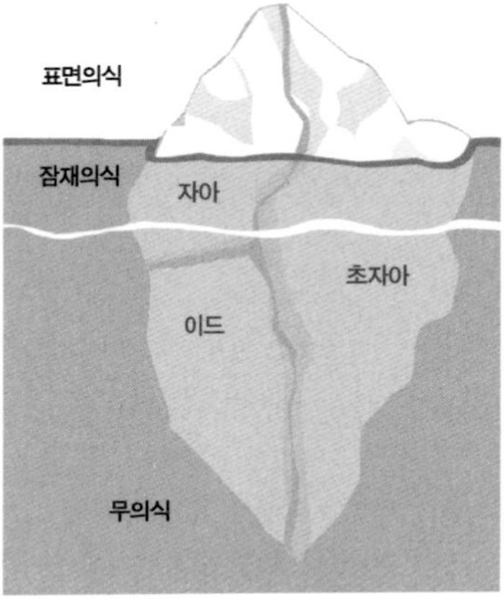

의식과 잠재의식, 무의식에 관한 이야기는 아마 많이 들어보았을 것이다. 프로이트가 말한 마음의 지형학 이론이다. 우리 내면 아주 깊은 곳에 무의식이라는 거대한 하층부가 있으며, 그 위에 잠재의식이, 그리고 겉으로 드러나는 의식이라는 표면이 존재한다는 것이다.

한편 자아, 초자아, 이드로 설명하는 구조적 이론은 심리적 작동원리를 밝힌다. 이드는 본능이라고도 표현할 수 있다. 가장 원초적인 것으로, 우리 내면의 맨 아랫부분, 즉 무의식에 존재한다. 성욕, 식욕, 공격성 등 생존과 번식을 위해 필수적으로 요구되며 자동적으로 움직인다.

초자아란 사람이 태어나 문화와 사회적 영향을 받으며 성장함에 따라 발달하는 것이다. 부모가 바라는 것, 내게 중요한 사람의 의지와 생각, 사회적으로 요구되는 가치 등이 마음속에 자리 잡는 것으로서, '사람이라면 응당 이렇게 해야 해' '이게 옳아' 등의 생각이 내면에 뿌리를 내려 본능을 조절한다. 의외로 초자아는 아주 어린 시절부터 발달하며, 덕분에 우리 무의식에 상당히 많이 담겨 있다.

초자아와 이드(본능) 사이에 있는 것이 바로 자아이다. 흔히 자아는 의식 수준의 것으로 생각하기 쉽지만, 실은 잠재의식과 무의식 수준에서도 일부 작동한다.

이러한 두 가지 차원에서, 즉 의식 수준이냐 무의식 수준이냐, 초자아나 이드가 주도적으로 작동하느냐 자아가 주도적인가에 따라 어떤 방어기제를 쓰느냐가 결정된다.

병적인 방어기제와 미성숙한 방어기제는 주로 잠재의식과 무의식 수준에서 초자아와 이드의 힘이 셀 때 작동한다. 일례로 '나는 못났다, 부족하다, 문제가 많은 사람이다'라고 자신을 파악하는 건 초자아의 힘이 과도하게 커진 탓이다. 자신을 엄격하게 바라보고 가혹하게 평가하는 것이다. 알코올이나 도박, 마약, 게임 등에 빠져서 현실적인 판단력을 상실하고 살아가는 사람들은 이드에 휘둘리는 것이라 할 수 있다. 본능의 힘에 영향을 많이 받은 채로 마음이 움직인다.

그래서 자아의 역할이 중요하다. 자아는 초자아와 본능의 에너지를 현실에 적합하게 활용할 수 있도록 중간에서 조율하는 역할을 한다. 예측하고 억제하며 승화하는 기능을 가지고 있다. 다시 말해, 자아가 성숙한 방어기제의 작동에 가장 주도적인 역할을 하는 것이다.

마음이 움직이는 두 가지 방식

이 모든 것을 좀 더 단순화시켜 보면, 우리의 마음은 크게 두 가지 방식으로 움직인다고 할 수 있다. 습관적 방식과 의도적 방식이 그것이다.

습관적 방식은 1번 체계라고도 한다. 말 그대로 습관의 형태를 유지하며 관성이 강하고, 동물적·1차원적·직관적이며 본능적이다. 생존이나 안전 등과 관련된 정보를 순식간에 느끼고 판단하는 방식인데, 반드시 맞는 것은 아니다.

등산길에서 뱀을 보았다고 하자. 우리를 깜짝 놀라게 만들며 어서 빨리 도망가든 뱀을 공격해서 죽이든 결정해서 행동하라고 신호를 보내는 것이 바로 1번 체계, 습관적 방식이다. 잠시 후 당신은 뱀이라고 생각한 것이 사실은 뱀이 아니라 굵은 동아줄이었다는 걸 알아차린다. 그럼에도 이미 심장은 쿵쾅거리며 뛰고 있고, 등줄기에는 땀 한 줄기가 흘러내렸다. 이처럼 습관적 방식은 아주 빠르게 일어나며, 잘 변하지 않는다.(거의 자동적으로 일어나는 이런 반응을 없애거나 변화시키기란 쉽지 않다.) 무의식과 잠재의식 수준에서 작동하기 때문이다. 어떤 사회에서 성장했는가에 따라 그 사회에서 금기시하는 일에 대해서는 나도 모르게 거부감과 죄책감을 갖게 될 수 있다. 해도 되는 것, 하면 안 되는 것 등에 관한 기준을 결정하는 초자아의 작동 방식 역시 성장 과정에서 1번 체계의 상당한 영향을 받는다. 초자아의 상당 부분과 이드의 대부분이 주로 작동하는 방식이다.

습관적 방식에만 의지하는 삶을 살면, 지나치게 감상적이 되거나 심지어는 섹스나 마약, 게임, 술, 도박 등 본능적인 충동에서 벗어나지 못할 수 있다.

반대로 의도적 방식, 즉 2번 체계는 이성적인 방식으로, 의식 수준에서 자아가 많이 관여한다. 2번 체계의 속도는 본능적인 1번 체계의 반응 속도에 비해 매우 느리다. 의도적 방식은 주관적으로 판단이 가능하고, 스스로 의식하고 조절할 수 있는 부분이 많다.

물론 2번 체계에만 의지하는 삶도 문제가 있다. 이런 사람들은 합리적이고 이성적인 판단에 의해서만 행동하려고 하며 순간적으로 느껴지는 정서적이고 본능적인 신호는 불편해하거나 차단하려는 경향이 있다. 그러므로 정서적으로 메마르거나 자신과 상대의 정서 변화에 둔감한 삶을 살기 쉽다. 밖에서 보기에는 안정되고 풍족한 삶을 사는 것처럼 보일지라도 자신이 진짜 원하는 삶에서는 멀어진 채로 살아갈지도 모른다.

결론은 '균형'에 있다. 습관적 방식이 주는 신호를 잘 감지하는 동시에, 본능에만 따라 행동해서는 안 되며 1번 체계가 보내오는 신호를 2번 체계가 잘 인지하여 나의 삶이 좋은 방향으로 나아갈 수 있도록 균형을 맞춰가야 한다. 내면에서 순간적으로 올라오는 마음의 신호를 잘 헤아리며, 그것의 의미를 상대와 나의 삶에서 서로 만족할 수 있는 방향으로 잘 다스려가면서 표현하고 행동할 필요가 있는 것이다.

힘의 균형을 맞춰라

어린 시절에는 생각하고 느끼고 행동하는 데 있어 1번 체계의 영향이 훨씬 더 크게 작용한다. 순간순간 느낌에 따른 행동방식이 우세한 것이다. 나이가 들면서 점점 2번 체계의 영향이 강해져 1번 체계를 통해 떠오른 순간적 느낌을 2번 체계를 거치도록 한 번 더 생각하면서 행동하게 된다. 그런데 나이가 들어감에도 습관적 방식으로만 마음을 헤아리고 행동하면 지나치게 감수성이 강한 사람이 되어 감정 기복이 심하고 대인관계도 안정적으로 꾸준히 유지하기 힘들어질 가능성이 높다.

나이가 든다고 해서 항상 2번 체계의 힘이 주도적인 것은 아니다. 성숙한 나이가 되었다 하더라도 상황에 따라 균형의 무게 추가 달리 기울 수 있다.

예를 들어 스트레스가 매우 높아지면 1번 체계에 의해 생각하고 행동할 가능성이 커진다.

또한 각성 수준이 많이 올라가면, 즉 불안이나 분노와 같은 감정을 강하게 느끼거나 몹시 흥분한 상태가 되면 습관적 방식에 의해 생각하거나 움직이게 되기 쉽다. 스트레스 수준이나 각성도가 올라감에 따라 의도적 방식의 마음 움직임을 담당하는 전전두엽의 기능도 올라가지만, 일정 지점을 지나면 변연계와 같은 습관적 방식의 기능이 주도적인 역할을 담당하게 되면서 자동적이고 습관적으로 느끼고 반응하게 되기 때문이다.

정리해 보자. 기분이 편안하고 좋을 때는 상대방의 마음을 잘 헤아리고 내 마음도 잘 표현하며 합리적으로 생각하고 행동한다. 그러다가 스트레스가 점점 많아지거나 흥분하게 되면 생각과 행동을 주도하는 체계가 확 바뀌어서 본능적이고 습관적으로 생각하고 반응하게 되는 것이다.

여기, 공항의 체크인 카운터에서 일하는 항공사 직원들이 있다. 비수기처럼 한가한 철에는 모든 직원이 편안하고 차분하게 고객을 대한다. 그러나 성수기가 되거나 기상문제로 결항이 늘어나며 공항에 승객이 과도하게 몰려든 상황에서는, 긴 줄에 서서 기다리면서 짜증을 내는 사람, 대기석에서 언제 항공권을 구입할 수 있냐며 초조해하는 사람, 무턱 대고 업그레이드를 요구하는 사람, 시간이 얼마 남지 않아 헐레벌떡 도착하는 사람 등 다양한 인간 군상을 만나게 된다. 이런 상황에서 당황하거나 차분함을 잃게 된 일부 직원은 습관적 방식으로만 손님들을 상대하다가 원초적인 불편한 감정, 공격성 등을 드러내거나 충동적으로 반응하면서 상황을 더 복잡하고 나쁘게 만든다.

반면, 그 와중에도 평정심과 친절한 태도를 유지하며 승객의 불편 사항이나 요청 사항을 차분하게 해결해가는 직원도 있다. 연습하기에 따라 마음을 움직이는 방식이 습관적 방식으로 기울어질 상황에서도 의도적 방식을 유지하며 침착함과 균형을 잃지 않을 수 있는 것이다. (1번 체계와 2번 체계에 관해 더 자세히 알아보고 싶다면 대니얼 카너먼의 《생각에 관한 생각》 첫 부분에 나오는 '두 가지 시스템'을 참고하라.)

자신의 마음속 움직임을 돌아보면서
내가 가지고 있는 마음 습관을 깨닫고
변화시켜가는 과정이 필요하다.

나 자신의 마음이 어떻게 움직이는지
알고 그것을 경험으로 깨달을 때,
비로소 변화가 일어난다.

지금 당신이 느끼는 감정은 어디에서 왔는가?
이 순간 당신을 지배하는 우울과 분노, 슬픔의 원인은
눈앞의 상황이나 사람이 아니다.
과거의 경험이 오늘 당신의 감정을 만들고 있다.
이 사실을 인지하는 순간부터 변화가 시작된다.
상처에 더 이상 지배받지 않기 위해서는
무엇보다도 이러한 자각이 필요하다.

PART 02

마음속 상처를 발견하기

내 안의 어린아이와
마주할 시간이다

왜 마음속 상처는 쉽게 지워지지 않을까

필자의 정수리 뒤쪽 왼 모서리에는 손톱 크기의 두세 배 정도 되는 흉터가 있다. 이곳엔 머리카락이 나지 않아 가르마를 왼쪽으로 타면 금방 눈에 띄고 이발할 때면 미용사에게 "어릴 때 머리를 크게 다치셨나 봐요"라는 말을 듣곤 한다. 이 상처는 어린 시절 사촌 형과 말타기를 하고 놀다가 방문 모서리에 머리를 찧어 생긴 것이다. 아직도 그 부위는 살짝 충격을 받기만 하더라도 다른 데에 부딪친 것의 열 배 스무 배 이상 아프게 느껴진다. 이와 비슷하게, 어린 시절 일어났던 일들로 인해 마음속에 큰 상처를 가지고 살아가는 사람들이 있다. 몸의 흉터와 다른 점이 있다면 몸에 난 상처는 흉이 지더라도 어쨌든 아물기 마련이지만, 마음속 상처는 상처 입은 기억과 감정을 때때로 다시 떠올리게 하여 스스로 괴롭히고 주위 사람들과의 관계를 힘들게 만들 수 있다는 점이다.

어린 시절 마음의 상처는 뇌기능의 발달을 늦추는 특징이 있는데, 인지기능과 정서기능 발달에 미치는 영향을 보면 약간의 차이가 있다. 기억력이나 계산력과 같은 인지기능은 상처받던 시기가 끝나면 자연스럽게 회복되어 잠재능력까지 발달하는 경향이 있다. 가정 형편이 어려워 공부를 못하고 고생하며 자란 사람이 나이 들어 뒤늦게 공부해서 좋은 대학에 입학하거나 어려운 시험에 합격하는 것이 그런 예이다.

그러나 감정 처리를 담당하는 뇌기능의 발달은 상처받은 시기를 지나 어른이 되어도 어린 시절의 상태에 머물며 잘 변하지 않는다. 어린 시절에 받은 상처의 영향력이 너무 강하면 불안, 분노, 비난이나 거절에 대한 민감함 등 부정적 정서 처리 기능은 예민해지고 칭찬이나 신뢰 같은 긍정적 정서 처리 기능은 둔감해진 뇌의 특성을 그대로 지니게 될 수 있다. 상처받던 시기를 벗어났음에도 이어지는 남은 인생마저 상처 입은 감정에 휘둘리며 살아가게 되는 것이다.

자신이 평소 감정 조절에 어려움을 겪는다고 생각된다면, 어린 시절에 어떤 마음의 상처가 있으며 그 상처가 지금의 나에게 어떠한 영향을 미치고 있는지 살펴볼 필요가 있다. 그것을 모른 채 살면 자신도 모르는 사이 쉽게 우울한 감정이나 불안감에 빠져들기 쉽다. 또한 분노 같은 격렬한 감정이 치솟아 폭력적인 말과 행동이 용암 터지듯 쏟아져 나오면서 자신과 상대방에게 또 다른 상처를 입힐 수 있다.

트라우마의 세 가지 유형

마음의 상처를 흔히 정신적 외상 또는 트라우마라고 부르기도 한다. 정신적 외상은 크게 세 가지로 나눌 수 있다.

첫 번째 유형은 단회성, 우연성 외상이다. 죽을 뻔했던 교통사고, 성수대교 붕괴 사고, 삼풍백화점 붕괴 사고, 대구 지하철 사고, 9·11테러 등과 같이 우연한 기회에 갑자기 큰 충격을 받는 경우이다. 이것이 외상후스트레스장애를 일으키는 원인이 될 수 있다.

두 번째 유형은 어른이 된 후에 경험하는 반복적이고 복합적인 외상인데 전쟁, 고문, 집단 폭행, 부부간 폭행 등이 있을 수 있다.

세 번째 유형은 어린 시절에 경험하는 반복적이고 복합적인 외상이다. 신체 학대, 정서 학대, 성 학대, 방임 등과 같은 아동 학대뿐 아니라 가정 폭력, 학교 폭력, 집단 따돌림과 같이 다양한 형태의 외상을 반복적으로 그리고 복합적으로 받는 경우이다. 세 번째 유형의 외상은 뇌기능이 발달하는 시기에 일어나는 외상적 경험이므로, 뇌기능에 장기적이고 심각한 영향을 준다. 결국 경계성인격장애 같은 왜곡된 성격 발달로 이어질 수 있으므로 가장 문제가 되는 마음 상처의 유형이다.

내 마음속에 상처받은 아이가 살고 있다

마음속 기억 전체가 좋은 기억만으로 채워져 있는 사람도, 반대로 나쁜 기억으로만 가득 차 있는 사람도 없다. 누구의 머릿속에나 긍정적인 기억과 부정적인 기억이 섞여 있기 마련이다. 기억의 영향력은 그것의 좋고 나쁨보다는 '시기'와 더 밀접한 관계가 있다.

어린 시절은 뇌가 가장 왕성하게 발달하는 시기로, 일생 중 뇌 안에서 가장 많은 변화가 일어나는 때이다. 모든 게 낯선 상태로 세상의 사물과 만나고 인간관계 속에서 말을 배우고 문화를 체득한다. 그렇게 타고난 기질에 문화와 환경의 영향을 받아 성격이 형성되어 가는 시기이다. 뇌의 기능이 어느 정도 고착되고 발달이 끝난 성인기에 겪는 경험들은 뇌가 기능하는 패턴에 큰 영향을 주지 않지만, 발달이 한창 일어나는 어린 시절의 경험이나 기억은 뇌가 움직이는 과정에 굉장히 큰 영향을 준다. 다시 말해, 아동·청소년기에 겪은 긍정적 경험과 부정적 경험은 생각과 감정, 행동의 틀을 만드는 데 지대한 영향을 미친다. 그래서 어떤 이들은 어린 시절 받은 상처에 평생 사로잡힌 채 살아가기도 한다.

어린 시절의 상처가 인생에 지대한 영향을 미친 대표적인 인물로, 전설이 된 희극배우 찰리 채플린Charles Chaplin을 꼽을 수 있다.

채플린은 스크린을 통해 수많은 사람들에게 웃음을 선물했지만, 그 자신의 초년 시절은 기구하기 짝이 없었다. 런던 뮤직홀의 가수와 배우였던 어머니와 아버지는 정신적으로 안정된 사람들이 아니었다. 두 사람은 채플린이 세 살일 때 일찌감치 이혼했는데, 아버지는 심각한 알코올 중독 환자인데다 어머니는 후두염을 앓은 후 목소리를 잃고 가수활동을 더 이상 할 수 없게 되면서 우울증에 시달렸다. 지독히도 가난했던 것은 물론이다.

생계를 위해 여덟 살부터 무대에 섰던 그는 열두 살에 아버지를 잃었으며, 정신병원을 드나드는 어머니 때문에 고아나 다름없는 생활을 해야 했다. 그런 그가 남긴 명언이 있으니 "세상은 나에게 최상과 최악을 동시에 선물했다"는 것이다.

> 세상은 내게 최상의 것과 최악의 것을 동시에 선사했다. 지금까지 살아오면서 좋지 않은 일을 많이 겪었지만 나는 행운과 불운이 떠다니는 구름처럼 종잡을 수 없는 것이라는 믿음을 갖고 있다. 이런 믿음 때문에 나는 아무리 나쁜 일이 일어나도 별로 놀라지 않았다. 오히려 좋은 일이 일어나면 놀라면서 한편으로는 기뻐했다.
>
> — 〈찰리 채플린, 나의 자서전〉 중에서

채플린의 독보적인 '부랑자' 캐릭터는 신산했던 어린 시절의 경험에서 탄생한 것이었다. 가난과 외로움이 없었다면, 통이 넓은 바지에 낡은 중절모를 쓴 우스꽝스러우면서도 안쓰러운 채플린의 부랑자 캐릭터는 탄생하지 못했을 것이다. 그는 자신의 상처를 희극으로 승화하였다. 그가 남긴 또 다른 명언, "인생은 가까이서 보면 비극이며, 멀리서 보면 희극이다"라는 말은 그가 어린 시절 상처를 극복한 방식을 보여준다.

트라우마는 깊게 파인 마음의 상처이지만 그것이 꼭 나쁜 것만은 아니다. 때로는 이처럼 한 사람을 성숙시키고 그 삶을 더욱 의미 있는 것으로 변화시키기도 한다.

좋은 방향이든 나쁜 방향이든, 어린 시절의 상처가 인생에 지대한 영향을 미치는 것만은 분명하다. 인간의 뇌는 발달 과정이 굉장히 오랜 기간 이루어진다는 점에서 다른 동물이나 포유류와 다르다. 시각, 청각 등 감각과 관련된 뇌기능은 열 살 이전에 발달이 거의 다 이루어진다. 아이들이 소리에 더 민감하며, 어른들이 듣지 못하는 주파수의 소리를 듣는 이유는 바로 청각이 발달하는 시기이기 때문이다.

이러한 감각기능에 이어 발달하는 뇌의 영역은 언어와 관련된 부분이다. 듣고 말하는 기능은 열다섯 살 무렵까지 발달하다가 멈춘다. 뇌의 기능 영역 중 가장 오랜 기간 발달이 이루어지며, 또 늦게까지 발달이 계속되는 것은 '고차원 인지기능 영역'이다. 고차원 인지기능이란 추상적인 생각, 합리적으로 통합되는 생각, 여러 측면을 함께 고려하여 종합적으로 판단하는 능력 등을 말한다. 사춘기와 초기 성인기까지도 계속 발달하는데, 어린 시절보다도 오히려 청소년기 이후에 본격적으로 발달되는 경향이 있다.

스위스의 심리학자 피아제Piaget는 인지 발달 이론을 통해 이를 감각운동기(0~2세), 전조작기(2~7세), 구체적 조작기(7~11세), 형식적 조작기(11세 이후)의 네 단계로 구분하였다. 감각운동기에는 감각적 반사운동을 하며, 전조작기에는 겉으로 보이는 것, 즉 지각하는 것에 의존하여 직관적으로 사고한다. 자기중심으로 생각하는 전조작기를 거쳐 구체적 조작기에 이르면 비로소 타인의 관점에서 생각할 수 있게 된다. 형식적 조작기 이후에는 추상적인 원리, 논리적인 추론을 할 수 있으며 유연하고 통합적인 생각이 가능해진다.

이처럼 사람은 단순한 감각기능부터 추상적이고 복잡한 뇌기능까지 단계적인 발달을 거친다. 발달은 성인이 되고 나서도 계속된다. 그 과정에서 자극에 대하여 감정을 일으키는 뇌, 감정과 생각을 인식하는 뇌, 감정과 행동을 조절하는 뇌 사이의 연결성 등에 많은 변화가 일어나게 된다. 즉, 어떠한 경험을 하느냐에 따라 뇌기능의 특성이 상당 부분 결정되는 것이다. 여기에는 물론 출생 전에 정해진 유전적 요인도 중요하게 작용한다. 그러나 뇌기능이 발달하는 오랫동안 유전적 요인과 환경적 영향이 상호작용하므로, 환경에서 받는 자극과 경험이 뇌 발달에 매우 중요하다는 데는 이견의 여지가 없다.

경험이 감정을 만든다

다시 한 번 정리해 보자. 외부 세계 혹은 자신의 내부 세계에서 일어나는 여러 가지 자극에 대해 감각을 느끼고, 감정이 생겨나고, 또한 그것을 정리하는 사고가 생겨난다. 이러한 일련의 과정을 거쳐 한 사람의 생각과 감정, 행동의 틀이 만들어진다. 이 모든 틀은 아동기와 청소년기에 걸쳐 발달이 시작되므로, 어린 시절의 경험은 사고 방식과 감정을 느끼는 방식, 행동 양식의 굉장히 중요한 밑바탕이 된다.

우리는 흔히 감정이란 '순간적인 것'이라고 생각한다. 순간의 자극으로 인해 어떠한 감정을 느끼게 된다고 생각하는 것이다. 과연 그럴까? 이와 관련하여 필자는 양용은 선수의 예를 들곤 한다.

양용은 선수는 2009년 PGA챔피언십에서 타이거 우즈를 꺾고 역전 우승하였다. 아시아인이 우승을 차지한 것은 그가 처음이었다. 관련 기사를 검색하면 밝은 표정의 양용은 선수의 모습을 볼 수 있다. 이날 우승했다는 사실이 기쁜 감정을 만드는 데 몇 퍼센트나 기여했을까? 강의 시간에 학생들에게 이 같은 질문을 하면 80%라거나 20%라거나 대답들이 다양하다. 80%라고 대답한 이들은 우승 자체가 너무나 좋은 일이기 때문에 감정에 가장 크게 작용했을 것이라고 말한다. 20%가 아닐까 하는 이들은 우승도 기뻤겠지만, 이전의 이런저런 고생과 힘든 기억들 또한 작용하지 않았겠냐고 추론한다. 즉, 순간의 자극도 중요하지만 그 전의 경험도 중요하다는 것이다.

정답은? 10 대 90이다. 현재의 자극이 10% 작용하고, 나머지 90%는 과거로부터의 경험이 작용한 결과라는 것이다. 의외이지 않은가? 일례로, 매번 우승하던 타이거 우즈가 그날도 우승했을 때 느낄 기쁨과 생애 처음으로 우승한 양 선수의 기쁨은 그 감정의 깊이와 정도가 다를 수밖에 없다. 과거로부터 지속되어온 경험이 현재 경험의 강도를 만드는 데 큰 영향을 미치는 것이다.

살아오며 쭉 형성되어 온 감정 습관, 그리고 지금껏 차곡차곡 쌓인 기억들은 감정을 만드는 데 큰 영향을 미친다. 우리는 이 사실을 알아차려야 한다. 만약 당신이 몹시 화가 났거나, 굉장히 기분이 안 좋다면 그것은 지금 일어난 어떤 일 때문만은 아니다. 실은 어린 시절의 경험이나 여러 가지 다른 일들이 함께 작용하여 지금의 감정을 느끼고 있는 것이다. 어린 시절의 경험이 현재까지도 큰 영향을 미치고 있다는 사실을 인식하며 살아야 한다.

이 순간 내가 느끼는 감정이 어린 시절의 삶과 연결되어 있다는 생각을 하지 못한 채 순간적인 기분으로만 반응하면 실수를 저지를 가능성이 커진다. 어린 시절 상처가 많은 사람들은 긍정적 자극에는 둔감하고 부정적 감정에 지나치게 예민한 경향이 있다. 큰소리를 듣거나 비난받거나 거절이나 배신을 당하는 것 등의 부정적 상황과 관련된 자극을 민감하게 받아들이고, 부정적 감정 처리에 민감한 감정 습관을 가지게 되는 것이다. 이런 사람이 자신의 분노나 불안, 우울감을 당장의 상황과만 연관 지어 생각하면 어떤 일이 벌어질까? 지금 눈앞에 있는 대상에게 화를 쏟아내게 된다. 다시 말해 감정을 조절하기가 어려워진다.

어린 시절 상처가 내 감정 습관을 만들었다는 걸 잘 인지하고 있어야 한다. 그래야 흥분한 상황에서도 다시금 차분하게 '내가 지금 이렇게 흥분한 이유가 뭘까'를 생각할 수 있고, 그 과정에서 자신의 마음을 파악하여 조절할 힘이 생긴다.

당장의 상황, 눈앞의 사람이 아니라
어린 시절의 상처가
지금의 내 감정 습관을 만들었다는 것을
인지할 때, 순간순간의 감정을
조절할 힘이 생긴다.

자기 파괴적인 마음 습관은 어떻게 만들어지는가

어린 시절 크든 작든 마음의 생채기 하나 없이 자란 사람이 어디 있겠느냐마는, 그중에서도 특히 아물기 어려운 종류의 상처들이 있다. 가장 대표적인 것이 아동 학대이다.

아동 학대는 말할 필요가 없을 정도로 심각한 문제를 초래한다. 신체적 학대, 성적 학대는 물론이고 정서적 학대와 방임 또한 아동 학대에 해당한다. 이 책의 후반부에 좀 더 자세히 다루겠지만, 유아기에 엄마와의 애착 형성에 실패한 사람은 이후 대인관계에서 불안정한 상태를 보일 가능성이 높다. 어린 시절 학대를 많이 받은 사람은 자신감이나 긍정적 자아상이 매우 약해져 있기 쉽다. 겉으로 표현하진 않지만 마음속 깊은 곳에서는 세상의 누구도 나를 좋아하지 않으며, 내가 문제가 많은 사람이라고 생각한다.

가정폭력 또한 씻을 수 없는 상처를 남긴다. 직접적인 학대를 당하지 않았더라도 부모가 서로 심하게 싸우는 것을 바라보며 자란 아이들은 또 다른 종류의 상처를 받는다. 우울증 환자들을 조사해보면 아동 학대 경험은 일반인에 비해 눈에 띄게 높지 않은 반면, 부모가 싸우는 것을 목격한 경험은 보통 사람들과 비교해 월등히 높다는 사실을 알 수 있다.

어린아이에게 부모는 하늘이며 바깥세상의 거의 대부분이다. 일상이 된 부부 싸움과 가정 안에서 벌어지는 부부 갈등의 장면들은 아이에게 굉장한 충격으로 다가간다. 부모가 자주 큰 소리를 내며 싸우는 모습, 매일 울고 있는 엄마의 얼굴, 아빠가 술을 먹고 엄마를 때리는 장면 등을 보며 자란 아이는 그 자신이 공격당하거나 비난받은 것이 아니더라도 스스로 책망하게 된다. 엄마와 아빠 사이에 괜히 태어났고 내가 뭔가를 잘못해서 우리 엄마 아빠가 이렇게 힘들게 사는 것 같다는 생각, 나는 아무짝에도 쓸모가 없으며 누구에게도 중요한 존재가 아니라는 생각에 사로잡힌다. 즉, 자신에 대한 문제의식이 커지는 것이다.

가정폭력을 곁에서 지켜보며 자란 아이는 그 자체로 천둥 번개가 치는 걸 매일 보는 것처럼 괴로움과 무서움, 불안감을 자주 느끼며 그 속에서 성장한다. 아동 학대만큼은 아닐지라도 부부 사이의 폭력은 자녀에게 꽤나 심각한 어린 시절 마음의 상처를 남길 수 있다. 부부 싸움은 아이가 볼 수 없는 곳으로 멀리 나가서 하라는 옛 어른들의 조언에는 심리학적 지혜가 담겨 있었던 셈이다.

따돌림 또한 쉽게 낫지 않는 상처를 남긴다. 학동기學童期(초등학생 시기)와 예민한 사춘기 아이들이 학교나 학원에서 만나는 친구들은 인생에서 가족만큼이나 중요한 인간관계이다. 그런데 그 속에서 따돌림당하며 반복해서 상처받다 보면 상대의 마음이나 자신의 마음을 헤아리는 능력이 약해지고 피해와 가해의 악순환을 반복하게 된다. 바람직한 인격 성숙을 위해 과도한 경쟁 위주의 학교 교육 문화를 변화시켜야 할 이유이기도 하다.

그밖에 어린 시절 오랜 기간 이어진 전쟁이나 재난, 가난 등도 아이들에게는 평생 마음속에 짐이 되는 상처를 만들 수 있다.

충족되지 않는 정서 욕구

이러한 상처에는 유형을 막론하고 공통적인 특징이 있다. 핵심적 정서 욕구가 충족되지 않고 있다는 것이다. 핵심적 정서 욕구란 제프리 영Jeffrey E. Young이 주창한 스키마schema(도식) 이론에 나오는 것으로, 조직심리 이론에서 자주 언급된다. 매슬로우의 욕구 이론과 연결되는 부분도 있다.

기본적으로 사람은 먹고 자고 깨끗하게 생활하고 싶어 하는 안전 욕구를 가진다. 다른 사람과 안정된 인간관계를 형성하고자 하는 것은 안정에 대한 욕구 때문이다. 그렇다면 이것만으로 핵심적 정서 욕구가 충족될 수 있을까?

그다음으로 중요한 것이 바로 자율성에 대한 욕구이다. 어리더라도 아이는 독립성과 자율성을 인정받고 싶어 한다. 그런데 과보호받는 경우 여기서부터 문제가 생긴다.

몇 해 전 생겨난 '헬리콥터 부모'라는 말은 부모가 아이 곁을 헬리콥터처럼 맴돌며 자녀의 인생에 간섭하는 것을 빗댄 조어이다. 이처럼 엄마 아빠가 자신의 판단에 따라 좋고 나쁨을 미리 정해 놓고 아이 인생을 자신의 생각에 맞추어 끌고 가려고 하면 어떤 일이 생길까? 먹고 자는 기본적인 욕구는 충족되더라도 자율성, 정체성에의 욕구가 심각하게 충족되지 못할 수 있다. 어떤 욕구나 감정을 표현하지 못한 채 억제시키고 살거나, 자발적으로 행동하며 즐거움을 추구할 기회가 차단되고 그러한 욕구를 억누르게 된다. 이처럼 '이렇게 사는 게 행복한 거야!' '이렇게 살아야 잘 사는 거지!'라는 식으로 외부에서 주어지는 조건들이 자발성을 통제하고 제한할 때 자율성과 관련된 핵심적 정서 욕구는 차단된다.

반대로, 하고 싶은 것은 언제든 할 수 있도록 모든 것을 허용하고 부족함이 없게 너무 많은 것을 제공하는 것도 문제가 있다. 할 수 있는 것과 하지 말아야 할 것을 분별하는 현실 판단력과 자기 통제 능력이 약해지기 때문이다.

자기 통제 능력이란 현실을 인식하고, 현실 안에서 어떻게 욕구를 표현하고 억제하고 안전하게 충족시킬지 정확히 아는 능력이다. 이는 또 하나의 중요한 핵심적 정서 욕구라 할 수 있다.

어린 시절에 핵심적 정서 욕구를 충족시키기 위해서는 일단 충분히 안전한 상황에서 안심할 수 있어야 한다. 또한 자발적이고 자율적인 선택을 인정받으면서도, 현실적으로 할 수 있는 것과 할 수 없는 것을 구분하는 판단력을 갖추도록 적절한 자극을 성장 과정에서 경험해야 한다. 적절한 통제의 필요성을 인식할 수 있는 수준에서 안정성과 자율성 등이 보장되어야 심리적 발달의 왜곡이 덜 일어난다. 어린 시절 안전 욕구를 보장받지 못하고 자율성의 욕구가 제한되는 것도 문제이지만, 어린 시절의 정서 욕구가 무조건 수용되는 것이 최선은 아닌 것이다.

이러한 점들이 만족되면 성숙한 인격을 갖출 수 있는 상황이 된다. 그러나 어린 시절에 이러한 핵심적 정서 욕구가 차단되거나 적절한 수준에서 충족되지 않으면 역기능적인 마음 습관이 생겨나고 만다.

이처럼 여러 가지 왜곡이 일어나는 것을 역기능적인 스키마라고 한다. 마음을 헤아리는 방식 자체가 비뚤어지는 것이라 표현할 수 있다. 스키마를 구성하는 데 있어서 중요한 생애초기의 욕구가 심하게 좌절당했을 때, 즉 안전 욕구가 좌절되거나 인정받고 싶은 욕구가 좌절되는 경험이 트라우마를 만들고 그것이 왜곡을 일으키는 식이다.

예를 들어, 안전 욕구를 충족시키지 못한 채 자란 사람은 세상에 대한 불신과 의심에 가득 차 있다. 자율성이나 자발성을 통제받으면 분노 같은 감정이 커질 수 있으며, 통제에 대하여 심한 반감을 느끼게 된다. 반대로 절제의 필요성 없이, 스스로 뭔가를 하지 않아도 외부로부터 충족이 너무 많이 제공되면 자발성이 떨어져 상대방이나 사회, 세상을 향한 관심이 줄어든다. 충동적이고 제어력이 떨어진 상태에서 자기중심적인 생각과 행동의 방식이 커지게 된다. 이처럼 환경적 박탈이 심하거나 반대로 환경적으로 너무 과잉된 공급이 있으면 생각과 행동의 습관에서 왜곡이 일어날 수 있다.

한 사람의 성격은 과거로부터의 생각 습관, 마음 습관, 감정 습관이 쌓여서 만들어진 것이다. 그리고 그 과정에서 만난 친구나 선생님, 부모님 등 자신에게 중요하다고 느껴지는 사람들의 생각이나 행동 방식을 선택적으로 내면화하면서 성격을 형성해 간다. 이것을 인식하지 못한 채 자신이 가진 습관대로만 살다 보면, 특히 습관들이 왜곡되어 있을 경우 인간관계에서 갈등을 빚을 수밖에 없다. 자연히 사회생활에서 어려움을 겪게 된다. 부부 사이의 갈등, 동료와의 불화, 부모 자식 간의 대립, 사회생활에서의 어려움 등의 문제가 계속 이어지다 보니 삶이 버겁게만 느껴진다.

내 안의 어린아이에게 말 걸기

우리의 마음속에는 상처받은 어린 시절의 내가 아이 때의 모습으로 살고 있다. 어린 시절 상처를 간직한 채 거기에서 벗어나지 못하고 있는 그 시절의 나, 그것이 바로 내면의 어린아이다. 핵심적 정서 욕구 자체를 충족 받지 못한 그 아이가 내 감정을 조절하고 있다. 감정 습관의 중추를 조절하는 그 중요한 키를 내면의 어린아이가 쥐고 있는 것이다.

그 아이는 상처받았던 기억과 충족되지 못했던 기억을 간직하고 있다가, 그 부분에 다시 자극이 오면 부정적 감정을 폭발시킨다. 그것이 상대를 향하면 분노가 되고, 자신을 향하면 우울이 되는 식이다. 상대가 나를 힘들게 만들었다고 생각되면 분노가 치솟아 오른다. 이 모든 상황이 내 문제라고 여겨지면 스스로 못났다고 느껴지고 자신이 미워져 자해의 위험이 커진다.

내면에 자리 잡은 어린 시절의 상처를 아물게 하려면 상처받아 힘들어하던 어린 시절의 나, 그 어린아이로부터 들려오는 마음속 외침을 어른이 된 내가 다시 돌아보는 과정이 필요하다. 그때의 생각과 느낌을 떠올려보고 '내가 왜 이렇게 슬플까' '왜 이렇게 화가 났을까'에 대해 차분히 생각하면서 자신의 마음을 돌아보아야 하는 것이다. 이러한 내면과의 대화(연결)는 그 자체로 치유의 과정이 된다. 힘든 기억이라고 해서 회피하거나 무조건 억누르려고만 하면 문제는 언젠가 다시 반복되고 상처 위에 다시 상처를 만들어내기 마련이다. 이와 관련해 자주 언급되곤 하는 비유가 있다.

어느 날 어두운 골목길을 걸어가고 있는데, 모퉁이에서 울고 있는 어린아이를 만났다. 못 본 척 지나친다면 아이는 그곳에서 한참이나 또 다른 도움을 받을 수 있을 때까지 외롭고 힘들게 울고 있게 될 것이다. 그러나 어른인 내가 다가가 아이에게 우는 이유를 물어보고, 함께 고민해준다면 아이는 슬픈 마음을 가라앉히고 아이 혼자 생각한 것보다 손쉽게 문제를 풀어나갈 수 있을 것이다.

바로 이 같은 어린아이가 우리의 내면에도 있다. 슬퍼하며 울음을 터뜨리며, 어른이 된 나에게 신호를 보내고 있다. 힘들고 생각하기 싫다고 해서 그 신호를 외면하면 그것이 쌓여 우울증 같은 병이나 성격적 문제로 나타날지 모른다. 회피로 인해 마음의 병이 시작될 수 있는 것이다. 그러므로 내면의 목소리를 충분히 들어봐야 한다. 마음속 어두운 골목길, 그곳의 어린 아이에게 자꾸 말을 걸고, 우는 이유를 물어보고, 대화를 나누어야 한다.

나는 어떤 애착 유형의 사람일까

요즘은 결혼을 앞둔 이들이 자청하여 서로를 이해하기 위한 심리검사나 상담에 임하는 경우가 적지 않다고 한다. 필자는 자신과 배우자의 애착 유형을 파악하라고 권하고 싶다. 애착 유형은 생각 이상으로 사람의 성격에 영향을 미친다. 나와 상대의 약점과 상처를 알고 내가 배려받거나 고쳐나가야 할 부분과 상대를 배려할 부분을 깨달을 수 있다. 그렇다면 '애착'이란 무엇일까?

생애초기, 안전 및 생존과 관련된 기본적인 욕구를 충족시켜줄 수 있는 상대(엄마 또는 일차 양육자)와의 사이에서 형성되는 긴밀한 정서적 유대감을 '애착'이라고 한다.

애착은 상당히 본성적인 것이다. 출산 직전, 엄마의 몸속에서는 옥시토신Oxytocin이라는 자궁수축 호르몬이 가파르게 상승한다. 이때 본성적으로 모성애가 강해지고 아이와의 애착관계를 강화시키기 위한 정서적 욕구가 자동적으로 강화된다. 옥시토신이 충분히 분비되면 상대의 눈을 응시하는 시간이 훨씬 늘어나고, 정서 욕구를 충족시키기 위한 반응과 행동이 늘어난다. 이러한 자연스러운 생리 현상 속에서 엄마와 아이 사이에 교감이 원활히 이루어지면 애착이 안정적으로 유지될 수 있다.

안정된 애착관계를 위해서는 적시적contingent이고 조절된 거울반응marked mirror response을 보이는 것이 중요하다. 적시적이라고 하면 아이가 보인 반응에 바로 혹은 적절한 시기에 반응을 보이는 것이다. 조절된 거울반응이라는 것은 아이의 반응에 똑같은 강도로 반응하는 것이 아니라, 약간은 톤다운된 상태로 반응하는 것이다.

예를 들어 아이가 울고 있을 때 엄마 또한 같이 엉엉 울거나 어떻게 할지 몰라 당황하거나 화내는 것이 아니라, 우는 아이의 마음에 공감하며 안타까워하는 정도의 반응을 보이는 것이다. 엄마도 약간 불편하고도 슬픈 감정을 느끼지만, 아이가 왜 불편해하며 힘들어하는지 걱정하는 정도의 표정을 보이는 것이 조절된 거울반응이라 할 수 있다. 그런데 애가 울기 시작하면 화가 나며 불안해 어쩔 줄 몰라 하는 엄마도 있다. 이런 경우 엄마 스스로 안정 애착이 충분히 형성되어 있지 않을 가능성이 크다. 엄마가 아이에게 좋은 거울반응을 보여주면 그것이 아이에게는 핵심적인 자아발달의 1차적 과정이 된다.

어린아이들은 좋은 것과 나쁜 것, 안전한 것과 위험한 것을 판단할 능력이 없거나 매우 약하다. 벌레를 보고 무서워하는 엄마의 반응을 통해 벌레가 지저분하고 혐오스럽다고 느끼게 되는 것처럼, 주로 엄마의 반응을 통해 자아상을 형성하고 바깥세상을 학습한다. 그러므로 엄마와 안정된 애착관계가 쭉 이어져온 아이는 엄마의 반응을 일방적으로 받아들이며 '나는 이런 사람이구나' '세상이란 이런 것이구나' '이렇게 반응하면 되는구나' 라는 믿음을 쌓아간다. 세상에 대한 기본적인 학습과 인식은 이러한 신뢰로부터 시작된다.

어린 시절 형성된 애착 유형은 어른이 되어서도 반복되는 경향이 강하다. 특히 애착이 충분히 안정화되지 않았을 경우, 어린 시절의 불안정한 애착 유형을 그대로 간직한 채 대인관계를 해나갈 가능성이 크다.

애착 유형의 종류

애착 유형은 크게 안정 애착과 불안정 애착으로 나뉜다.

존 보울비John Bowlby 박사의 애착 이론에 근거해 매리 애인즈워스Mary Ainsworth 박사가 만든 애착 유형 실험을 보자. 엄마는 아이와 함께 놀이방에서 놀던 중, 아이를 떼어놓고 잠시 놀이방을 떠난다. (이때 엄마와의 분리 상태에서 아이가 보이는 감정이 중요하다.) 1분에서 1분 30초쯤 후, 엄마가 돌아왔을 때 아이가 보이는 반응에 따라 애착 유형을 판단하는 실험이다.

가장 많은 유형인 '안정적인 애착' 유형을 보이는 아이들은 엄마가 나가면 울기 시작한다. 그렇게 울고 있다가, 엄마가 돌아오면 엄마에게 달려가 안기면서 울음을 멈추고 다시 놀이를 시작한다.

그런데 엄마가 놀이방에서 나가는데도 멍하니 바라볼 뿐, 쫓아가지 않는 아이들이 있다. 기분이 안 좋은 상태이긴 하지만 울지는 않는다. 엄마가 돌아와도 반가운 기색이 없다. 오히려 고개를 숙이며 힘들어하고, 엄마가 안아주려 해도 안기지 않으며 눈을 마주치지 않고 손을 뒤로 빼는 등의 반응을 보인다. 이러한 경우를 '회피형 애착' 유형이라고 부른다.

엄마가 나가자마자 울기 시작해서 엄마가 돌아온 후에도 울음을 멈추지 않고 계속 울며 화내고 짜증 부리며 장난감을 쥐어줘도 집어던지는 등 불편한 감정을 가라앉히지 못하는 아이들도 있다. 이런 경우를 '저항형 애착' 또는 '불안 애착' 유형이라 한다. 회피형과 저항형보다 좀 더 심한 형태의 '와해형 불안 애착' 유형도 있다. 이 같은 애착 유형을 가진 아이들은 어른이 되어서도 비슷한 애착 유형을 보인다.

엄마와의 안정 애착을 형성하지 못한, 즉 불안정 애착 유형의 아이들은 아동·청소년기에 상담과 치유를 거칠 필요가 있다. 성인 때까지도 이러한 애착 유형을 유지하고 있는 사람들 역시 성격적 문제를 치료하는 것이 굉장히 중요하다.

애착 유형은 반복되는 특성이 있지만, 변화될 수도 있다. 일례로 불안 애착 유형의 사람은 애인이 내 곁을 떠날까 봐 항상 불안해한다. 약속 시간에 늦거나 전화를 받지 않으면 다른 사람이 생긴 건 아닐까 걱정하며, 필요 이상으로 연락하거나 사랑을 증명받으려고 한다. 상대는 피곤함을 느끼며 점차 지쳐갈 수밖에 없다.

회피형 애착 유형의 사람은 아예 상대와 가까워지는 것 자체를 피한다. 처음에는 친절하게 대하다가도 상대가 가까이 다가오는 것 같으면 점점 거리를 두며 멀리한다. 거절당하는 데 대한 두려움이 있기 때문이다. 어린 시절의 엄마나 어떤 중요한 사람들이 그랬던 것처럼, 자신이 원하는 바가 제대로 충족되지 못한 상황에서 사람들이 나를 떠날까 봐 걱정하는 것이다. 자신은 사랑받을 만한 존재가 아니기 때문에, 지금 다가오는 이 사람도 자신의 진면목을 보면 떠나갈 거라 미리 걱정하고 멀리하기도 한다. 진짜 모습을 보여주기 싫어서 상대를 자꾸만 밀어내는 '회피형 애착'을 어른이 되어서도 반복한다. 가수 이은미 씨의 〈죄인〉이란 곡의 가사를 보면 불안 애착 유형의 심리가 드러나 있다.

그대 잠시만 내 눈 멀어져 가도 난 화를 냈죠
그런 내게 숨 막혀 했었던 그대 맘 몰랐어요
결국 이런 내 사랑 미련했나요, 결국 이런 나여서 지겨웠나요
그대를 가지려고 하면 할수록 점점 멀어지네요

연인이 잠시만 멀어지려 해도 화를 내고 불안해하며 힘들게 만들었던 것을 후회하는 내용이다. 노래 속 연인은 불안 애착을 견디지 못하고 이미 떠나갔다. 그런가 하면 김창기 씨의 〈변해가네〉의 노랫말은 애착 유형이 변화하는 모습을 보여준다.

그리 길지 않은 나의 인생을

혼자 남겨진 거라 생각하며
누군가 손 내밀며 함께 가자 하여도
내가 가고픈 그곳으로만 고집했지
그러나 너를 알게 된 후 사랑하게 된 후부터
나를 둘러싼 모든 것이 변해가네
나의 길을 가기보단 너와 머물고만 싶네

전에는 다가오는 사람이 있어도 회피했던 사람이 연인을 만나 변화했다는 내용이다. 성인기의 애착 유형이 변하기 위해서는 좋은 애착 대상, 즉 연인을 잘 만나거나 좋은 정신치료자를 만나서 인간관계 또는 치료관계를 통해 애착의 상처들을 회복할 수 있어야 한다.

또 어린 시절에 많은 상처를 받았다 할지라도, 그에 상응할 만한 사랑을 애착 대상으로부터 받은 경우 애착 유형을 변화시킬 힘이 내면에 있다. 매일 아버지에게 구타당했던 한 남성의 경우, 부모로부터 심한 상처를 받았으나 같이 살던 할아버지에게서는 전폭적인 지지와 무조건적인 사랑을 받았던 기억 또한 가지고 있었다. 할아버지와의 좋은 경험이 애착 유형을 변화시키는 내적 지지대가 되어준 덕분에 그는 자신의 배우자, 자녀와 안정적인 애착을 형성할 수 있었다.

감정과 이성,
힘의 균형이 필요하다

다음 페이지의 그림을 보자. 당신의 눈에는 무엇이 보이는가? 대부분은 수염 난 할아버지가 보인다고 답할 것이다. 그러나 이 그림 속에는 키스하는 커플의 모습이 숨어 있다. 이 이야기를 해주면 머릿속에서 '키스하는 커플'이란 이미지가 떠오르며 그림 속 연인의 모습이 보이기 시작한다. 자, 이제 넝쿨 안에 키스하고 있는 다정한 연인의 모습이 보이는가? 이처럼 우리 뇌는 두 가지의 의미를 만들어내는 구조를 가지고 있다.

'수염 난 할아버지'의 표상을 만들어내는 1번 체계(습관적 방식)는 빠르게 습관적으로 처음의 의미를 만들어낸다. 이것은 동물들이 원시적으로 발달시켜 온 인식 체계로서, 생존에 중요하다. '키스하는 커플'을 발견하게 하는 2번 체계(의도적 방식)는 첫 번째 받아들였던 그 자극에 담긴 다른 의미를 천천히 인식하게 한다. 이것은 인간이 고유하게 발달시킨 새로운 인식 체계이다.

Strand Magazine, Diciembre 1899

앞서 1장에서 1번 체계와 2번 체계에 관해 설명했다(76~77페이지 참고). 사람을 대할 때, 1번 체계에 의해 평소 하던 대로 마음을 헤아리는 방식이 습관적 마음 헤아리기이다. 이렇게 1차적으로 떠오른 의미나 감정을 자신과 상대의 입장에서 다시 한 번 생각해보는 마음 헤아리기 방식이 2번 체계를 이용하는 의도적 마음 헤아리기 방식이다.

1번 체계는 늘 가지고 있는 감정 습관대로 저절로 만들어진 1차적인 감정, 이를테면 기분 좋은 느낌 혹은 거절당하거나 무시당한 느낌 등을 일으키고 그에 따라 행동하게 한다. 일상적이고 차분한 상황에서는 1차적인 마음 헤아리기만으로도 갈등이나 문제없이 자신의 마음과 상대의 마음이 소통할 수 있다.

하지만 갈등이 생기거나 감정적으로 흥분한 상황에서는 습관적 마음 헤아리기와 의도적 마음 헤아리기의 균형이 깨지기 쉽다. 습관적 마음 헤아리기에 의해 만들어진 의미만으로 자신과 상대의 마음을 단정 지으려 하니 오해와 갈등은 점점 커져간다. 이 순간 2번 체계를 사용하면 자신이 느끼는 감정에 어떤 의미가 담겨 있는지를 파악할 수 있고, 상대가 보여주는 행동과 전달하는 말의 의미를 생각할 수 있게 된다.

이렇게 1번 체계에서 만들어진 마음속 의미를 2번 체계로 다시 한 번 생각하는 '마음 헤아리기' 과정을 통해 우리는 자신의 정서 상태를 파악하고 감정을 인지하여 조절해서 표현할 수 있다. 그러나 슬프거나 화나거나 기분이 날아갈 듯 좋은 상태, 즉 정서적으로 고조된 상태에서는 2번 체계를 이용한 마음 헤아리기 기능이 약해져서 순간적 감정에 휩쓸려 행동할 가능성이 크다.

여기, 대한민국의 20대 '흔녀'라고 할 수 있는 평범한 여성이 있다. 어느 날 친구를 따라간 나이트클럽에서 아주 잘생긴 남자를 만났다. 그에게 은근히 호감을 드러내니, 상대방 또한 자신에게 제법 호감을 보이는 것이 아닌가. 그녀는 그야말로 순식간에 사랑에 빠져들고 말았다. 그렇게 시작된 관계가 가까워질수록 남자는 폭력적이며 집착적인 성향을 드러냈다. 그럼에도 그녀는 쉽게 관계를 정리하지 못한다. 이미 감성에 이성이 지배당하고 있는 상황이다.

나쁜 정서뿐 아니라 긍정적 정서라도 지나치게 고조되어 있다면, 그것을 잘 헤아려서 조절할 필요가 있다. 물론 쉬운 일은 아니다. 감정과 이성의 힘겨루기에 관해 말하자면, 많은 경우 감정이 더 강력하게 행동을 유도하고 이성을 지배하려는 경향이 있는 것이 사실이다. 감정이 고조되면 그런 경향은 특히 강해진다. 때로는 이성이 감정을 지배할 수 있도록 마음 훈련을 해둘 필요가 있다.

그렇다고 해서 무조건 감정을 억눌러야 하는 것은 아니다. 이성의 힘이 지나쳐도 부작용이 생긴다. 너무 합리적이거나 완벽주의를 추구하는 사람이 되기 때문에 감수성이 부족하고 정서가 메마를 수 있다. 또한 타인의 감정을 알아차리지 못해 인간관계에 균열이 생길 수도 있다. 행복한 삶을 위해서는 감정과 이성 간 적절한 힘의 균형이 필요하다.

감정적으로 흥분하거나 압도된 상황에서는 우선 그 감정을 가라앉혀 위기를 넘긴 후, 2번 체계를 이용해 마음 헤아리기를 해야 한다. 처음 오해가 있었던 자신의 마음을 잘 돌아보고, 자신이 진짜 전하고 싶었던 마음을 전달하면서 상대의 마음을 헤아릴 수 있는 사람이 되기 위해 노력해야 한다.

이런 과정은 하루 이틀의 노력으로 되는 것이 아니다. 수년간의 꾸준한 노력으로 이러한 마음 헤아리기 방식에 익숙해지면 성숙하고 안정된 인간관계를 이어 나갈 수 있을 것이다.

나는 누구인가, 스스로 물으라.
자신의 속얼굴이 드러나 보일 때까지
묻고 묻고 물어야 한다. 건성으로 묻지 말고
목소리 속의 목소리로
귀 속의 귀에 대고 간절하게 물어야 한다.
해답은 그 물음 속에 있다.

— 법정 스님

내가 나를 아프게 하고 있다

어린 시절 마음의 상처가 클수록 부정적 마음 헤아리기 습관이 강하게 자리 잡고 있을 가능성이 크다. 예를 들면, 부모님조차 나를 사랑하지 않았으므로 세상 누구도 나를 좋아하지 않을 것이며, 자신은 존재 가치가 없는 사람이라고 생각하는 식이다. 전형적인 회피형 애착 유형이다. 이런 사람들은 타인에게 다가가길 두려워하며 혼자 있는 것을 편안해 한다.

이러한 감정 습관은 인지능력이나 기억력과는 다르다. 크게 상처받았더라도 트라우마가 없어지면 인지능력은 정상 수준으로 발달해나간다. 어린 시절에 힘든 환경에서 자라나 제대로 공부를 하지 못했고 학습능력이 떨어지는 것으로 여겨지던 아이가 환경이 바뀜에 따라 어느 순간 또래 아이들의 학습 수준을 따라잡는 것이 그 증거이다. 그러나 감정 습관은 인지능력과는 달리, 환경이 바뀌거나 스트레스가 없어진다 해서 저절로 변화되지 않는다. 여전히 부정적 감정 자극에는 예민하게 반응하고 긍정적 감정 자극에는 둔감한 반응을 보이는 데 머무른다. 이처럼 고착되어 있는 감정 습관을 변화시키기 위해서는 반드시 '자각'이 필요하다. 어른이 되어서 자신의 감정 습관을 돌이켜 보고, 어린 시절의 트라우마로 인해 왜곡되어 있음을 깨닫는 것, 변화는 바로 거기서부터 시작된다.

마음의 상처로 부정적 감정 습관을 지닌 사람들은 '나 자신을 싫어하며, 나를 벌주고 싶어 하는 이질적 자아가 내면에서 강력한 영향을 미치며 살고 있는 것이다'라고 발달심리학자들은 말한다. 스스로 혐오하는 또 다른 내가 내면에 존재한다는 것이다. 이러한 이질적 자아는 본래의 나 자신과 갈등을 일으키는 감정과 생각들을 만들어낸다. 이를테면 다음과 같은 생각들이다.

'사람들이 나를 좋아하겠어?'

'난 역시 안 돼, 뭘 해도 안 된다고.'

'난 그냥 죽는 게 나아.'

부정적 감정 습관이 깊어지면 자기 자신을 향한 나쁜 감정과 생각에 매달리며 거기에 빠져들어 가게 된다. '사람들이 나를 좋아할 리 없으니 그 자리를 피하는 게 나을 거야'라고 생각하면서 스스로 소외시키고 외부 환경을 지나치게 경계하거나 불신한다. 점점 더 자신을 고립시키는 악순환을 만들어간다는 점에서 왜곡된 마음 습관이라고 할 수 있다.

자신의 감정 습관, 마음 습관을 자각하기 위해서는 먼저 마음을 들여다볼 필요가 있다. 자신과 타인, 감정적인 것과 이성적인 것, 이것은 마음을 바라보는 두 가지 틀이라고 할 수 있다. 자신의 감정과 생각을 비판적으로 보지 않고 있는 그대로 흘러가게 두면서 잘 살펴보는 것이 우리가 흔히 이야기하는 '마음챙김'이며, 상대의 마음이나 생각을 이해하는 것이 '마음 읽기와 공감능력'이다. 이 책에서 이야기하는 '마음 헤아리기mentalization'란 자신의 마음을 돌보는 마음챙김mindfulness과 상대에 대한 마음 읽기와 공감능력empathy이 합쳐진 개념이라 하겠다.

상처받은 사람들은 대부분 자신의 진짜 마음을 살펴보거나 표현하지 못하며, 타인의 마음이나 의도에 관해서도 제대로 짐작하거나 헤아리길 어려워한다. 한 마디로 마음 헤아리기 능력이 발달하지 못하고 어린 시절의 마음 상태에 머물러 있는 것이다. 마음 헤아리기 능력을 발달시키기 위해서는, 어린 시절 엄마가 적시적으로 조절된 감정반응을 해주었듯 나와 가까운 가족, 친구, 연인과 충분히 공감하고 이해하며 이야기를 나눠줄 인간관계 경험을 많이 쌓는 것이 중요하다. 이러한 인간관계는 일정 기간 치료 프로그램을 통해서 훈련하고 경험을 쌓아볼 수도 있다.

Make Peace with My Mind

마음 헤아리기에 실패하는 사람들

마음 헤아리기를 유독 어려워하는 사람들이 있다. 대개 성격적 문제가 있는 사람들로, 자신의 생각과 감정을 조절하지 못하고 상대의 마음도 이해하거나 배려하지 못한다. 그로 인해 계속해서 인간관계 문제를 겪으며 충동 조절에 어려움을 느끼는 사람들이다. 정신의학에서는 인격장애가 있다고도 표현한다.

정서 조절, 충동 조절, 대인관계의 영역은 인간의 고차원 인지기능을 필요로 하는 영역이다. 이 영역에서 복합적인 문제가 생긴 것이 바로 인격장애이다. 클로닝거 박사에 의하면 인격을 구성하는 요소는 크게 기질과 성격

두 가지로 나눌 수 있다. (클로닝거 박사의 인격 이론에 대해서는 4장에서 좀 더 자세히 이야기할 예정이다.)

기질은 쉽게 변하지 않고 유전적 성향이 강하다. 인격의 타고난 측면을 설명하는 부분이다. 어린아이 중에도 예민하고 감수성이 풍부하지만 키우기 까다롭고 많이 울고 보채는 아이가 있는가 하면, 순하고 느리면서 자주 울거나 보채지 않는 아이가 있는 것처럼 말이다. 기질은 좋고 나쁨이 있다기보다는 개성으로 생각하는 편이 맞다. 그러므로 자신의 기질에 잘 맞춰 살아갈 필요가 있다. 기질에 맞지 않는 삶을 살려다 보면 피곤하고 힘들어질 수 있다. 성격은 타고나기보다는 성장 과정에서 점차 바뀌고 발달해간다. 이처럼 변화하는 성격의 요인들이 골고루 발달할수록 안정되고 성숙한 인격이 되는 것이다.

요즘은 인격 발달을 '상호작용 이론'으로 설명한다. 한 사람의 인격은 타고난 기질이 환경과 상호작용하는 과정에서 완성되어 간다는 이론이다. 예전에는 스트레스에 취약한 사람들이 임계점 이상의 스트레스 압박을 받으면 정신질환이 발생한다는 '스트레스-취약성' 이론으로 정신질환의 발병 과정을 설명했다. 환경이 사람에게 일방적으로 영향을 준다는 개념이다.

그러나 요즘은 환경이 사람에게 미치는 영향만큼이나, 사람이 환경에 미치는 영향도 크다고 본다. 예민한 아이라도 잘 품어줄 수 있는 따뜻한 환경이 제공되면 아이의 성격은 환경에 점차 순응하며 커갈수록 부드러워진다. 어린 시절에 '정말 예민하다'는 말을 들으며 보채고 말썽을 많이 일으켰던 아이가 성인이 되어서는 성숙하고 차분한 성격으로 변화하는 경우도 많다. 부모의 보살핌 아래서 적절한 반응을 주고받으며 자라면서 예민한 기질이 많이 누그러지고 안정된 성격 발달을 이룬 것이다. 순하고 느릿느릿한 기질을 가진 아이라도 무관심과 폭력 속에 방치될 경우 폭력적이고 이기적인 인격을 가진 성인으로 성장할 수 있다. 타고난 기질과는 달리 결국 자신과 주위 사람들을 힘들게 하고, 사회를 위험하게 만드는 사람이 될 수도 있는 것이다.

그렇다면 예민한 기질을 가진 아이가 환경적 자극이 안 좋은 상황에서 자라나면 어떻게 될까? 환경과 기질의 상호작용이 악순환되면서 인격장애가 발생할 수 있다. 즉, 인격장애는 환경과 유전적 기질 간에 적절한 상호작용이 이루어지지 못한 경우 발생한다.

경계성인격장애는 자신을 사랑하다가 혐오하기도 하는 등 자아상이 극과 극을 오가고 감정 기복이 심하고 충동적이다. 대인관계에서도 사이가 좋다가 나빠지는 변화가 심하다. 이렇듯 여러 방면에서의 불안정성이 경계성인격장애의 특징이다. 이것을 앓는 사람들은 마음 헤아리기 능력이 충분히 발달하지 못한 경우가 많다. 평소 표면적인 인간관계에서는 특별한 문제 없이 비교적 잘 지내는 편이지만, 마음의 상처를 받았다고 생각될 때는 마음 헤아리기 기능이 매우 약해진다. 이런 경험은 특히 가까운 사이나 가족과 같이 친밀한 애착관계에서 주로 발생한다. 마음 헤아리기 기능이 약해지면 상대방의 속마음에 대한 고려는 하지 않은 채 외모나 말투, 행동 등 겉으로 보이는 것만 가지고 상대의 마음을 판단하게 된다.

자신에 대해서도 마찬가지다. 타인이 자신을 평가한 이런저런 말들이나 표정에만 입각해 자신을 판단해 버리는 경향이 강해서, 타인의 생각을 곧 자신의 전체적인 현실로 받아들여 버린다. 예를 들어, 가까운 사람과 말다툼을 하다가 상대방으로부터 "너 미쳤구나"라는 말을 들었다고 하자. 그러면 '난 정말 미쳤나 봐. 나는 이상한 사람이야. 내가 없어지는 게 좋겠어'라고 생각하는 것이다. 실체가 아니고 순간적인 감정이나 느낌에 불과한 것을 변할 수 없는 확고한 현실이라고 받아들이는 것이다. 다시 말해, 머릿속에 상상하고 있는 이미지를 외부 현실과 동일시한다.

어느 날 한 여성 환자가 필자에게 자살 충동에 시달리고 있다고 고백했다. 왜 그런 생각을 하느냐고 물으니, 얼마 전 동생과 말다툼을 하다가 동생으로부터 "미친 ㅇ, 네가 그런 식으로 행동하니까 남들이 미쳤다고 하지"라는 말을 들었다는 것이다. 순간 이 환자가 떠올린 생각은 '나는 정말 미친 사람이야, 내가 죽어버리는 것이 가족을 위해서나 나 자신을 위해서도 좋아'라는 것이었다. 그때부터 우울감과 자살 생각에 빠져들었다고 한다.

이처럼 경계성인격장애 환자들의 사고는 극단적이다. 자기 자신을 괜찮은 사람이라고 생각하다가도, 어느 한순간 머릿속에서 스스로를 완전히 나쁜 사람으로 몰아세우는 경향이 강하다.

위장되는 공감, 왜곡되는 마음

경계성인격장애 환자의 경우 평소에는 마음 헤아리기 기능을 잘 유지하다가도 정서적으로 각성되는 상태에서 마음 헤아리기를 하지 못하는 경향이 있다. 이에 비해 반사회성 인격장애는 겉으로는 마음을 잘 헤아리는 것처럼 행동하지만 사실은 자기중심으로 상대의 마음을 왜곡시켜 이해한다. 즉, 왜곡된 마음 헤아리기 방식을 사용하는 경우이다. 목적을 달성하기 위해서 상대의 마음을 조종해야 하는 경우, 이들은 어렵지 않게 마음 헤아리기를 흉내 낸다. 한 마디로 상대의 마음을 알아주는 '척'하며 자신의 힘이나 위협을 통해 상대의 마음을 자기 뜻대로 움직이려 하는 것이다.

성폭력 범죄자들 가운데는 힘이나 위협, 권력, 돈 같은 것으로 상대의 마음을 조종할 수 있다고 생각하는 사람이 많다. 피해자들의 마음에 대하여 '겉으로는 거절하지만 실은 원하고 있으면서 저렇게 표현하는 거야'라는 식으로 생각한다. 왜곡된 마음 헤아리기 방식을 가진 것이다. 연쇄살인범의 경우도 마찬가지다. 만약 연쇄살인범이 처음 살인할 때 피살자의 마음을 제대로 헤아릴 수 있었다면, 그 두려움과 공포를 공감하고 살인을 하지 못했을 것이며 더 이상의 살인을 계획하지도 못했을 것이다. 그러나 대부분의 연쇄살인범들은 "그 사람이 내게 죽여달라고 했어요"라는 식으로 반응한다. 죽일 생각까지는 없었는데, 피살자가 자신에게 죽여달라며 자신을 자극했고 그래서 원하는 대로 죽여줬다는 것이다.

어린 시절 보이는 '마음의 굳은살emotional callousness'은 한 인격이 이처럼 위험한 방향으로 커나갈 가능성을 보여주는 하나의 신호이다. 마음의 굳은살이란, 어려서부터 계속해서 상처받다 보니 아예 정서를 차단시켜 버리는 것을 말한다. 마음의 굳은살을 가진 아이들에게 불안하지 않으냐고 물으면 "불안하지 않아요. 불안한 게 뭐에요?"라는 답이 돌아온다. 기쁨도, 슬픔도 모른다고 답한다. 아무것도 느껴지지 않는다고 말하지만, 실상은 감정을 중요하게 생각하지 않으며 무시하는 것이다. 예를 들면, 분노를 주체하지 못해 주먹을 휘두르면서도 자신은 화가 나지 않았다고 주장하며, 상대방을 흠씬 두들겨 패고 나서는 자신이 한 행동이 기억나지 않는다고 말하는 식이다. 자신의 언행을 기억하지 못한다고 하는 사람 중에는 실제로 너무 격한 감정에 휩싸여 마음 헤아리기 기능이 일시적으로 마비된 해리 상태에 빠진 경우도 있을 수 있다.

필자는 해리 상태에 빠져 한 행동이라 하더라도, 그것이 법적 처벌의 사면 이유가 될 수는 없다고 생각한다. 이들의 정서 상태는 안으로 들어갔다 밖으로 튀어나오기를 잭나이프처럼 거칠게 왔다 갔다 한다. 반사회성 인격장애자들은 마음 헤아리기를 하는 듯 보이지만, 그것은 어디까지나 자기 합리화를 위한 것일 뿐 제대로 된 마음 헤아리기와는 거리가 멀다. 마음 헤아리기 기능의 발달이 가장 왜곡된 이런 사람들이 많을수록 사회는 불안할 수밖에 없다.

그렇다면 반사회성 인격장애는 어떻게 만들어지는 것일까? 타고난 기질적 문제를 가진 사람도 있겠지만, 환경적 요인의 영향도 상당한 것으로 알려져 있다. 한 연구결과에 따르면, 반사회성 인격장애를 가진 아버지와 함께 살며 성장한 자녀와, 반사회성 인격장애를 가진 아버지가 범죄를 저지르고 수감되는 바람에 아버지와 떨어진 채 자라난 자녀 중 후자가 반사회성 인격 성향이 덜하고 정신건강 상태가 더 좋았다고 한다. 충동적인 데다 자녀의 마음을 헤아려주고 공감해주지 못하는 반사회성 인격의 부모와 함께 성장하는 환경이 부모가 없는 환경보다 오히려 못하다는 것이다.

아이는 부모로부터 기질만 대물림 받는 것이 아니라, 인간관계를 꾸려나가는 방식도 배운다. 부모가 아이의 마음을 전혀 몰라주거나, 자기 기분에 따라 화를 내다가 칭찬하기도 하는 등 일관성 없이 아이를 대하면 아이의 마음 헤아리기 능력은 제대로 발달하기 힘들다. 이런 이유 때문에 생애초기 스트레스는 대물림되는 경향이 꽤나 강하다.

어린 시절 방임과 방치를 겪은 엄마가 출산 후 아이를 돌볼 줄 몰라 내버려두거나, 성적 학대를 당했던 엄마가 자신의 트라우마에서 허우적대느라 아이를 방치하거나 아이에게 성적 학대를 반복하는 등의 일들이 실제로 왕왕 일어난다. 즉, 대를 이어가며 악순환의 고리를 밟을 가능성이 있는 것이다. 연구에 의하면 새끼 때 어미로부터 돌봄을 받지 못한 암컷 쥐는 새끼를 낳고 어미가 되었을 때 자신의 새끼들을 제대로 돌보지 못한다고 한다. 이러한 결과는 이미 뇌와 유전자의 변화까지 밝혀지며 과학적으로 입증되어 있다.

세상의 중심은 나 : 자기애성 인격장애

마음 헤아리기의 왜곡이 심한 또 하나의 인격장애로 자기애성 인격장애가 있다. 이들은 지나치게 자기중심적인 방식으로 마음 읽기를 한다. 그 과정에서 상대의 마음 헤아리기에 실패하거나 상대의 마음을 왜곡시켜 헤아리는 경우이다. 경계성인격장애가 상대의 눈치를 과도하게 살피고 감정에 압도되는 특징을 보인다면, 자기애성 인격장애는 자기중심적 마음 헤아리기 경향이 강하다. 이성적 마음 헤아리기를 주로 사용하는 특성을 보이므로 이성적이고 차분하게 보이지만, 상대의 감정과 입장에 대해서는 전혀 고려하지 않고 철저히 자기중심적인 마음 헤아리기를 하는 특징이 있다.

포기하는 마음 : 회피성 인격장애

상대와 가까워질수록 마음 헤아리기는 복잡하고도 깊어진다. 회피성 인격장애는 이러한 과정을 접하기를 아예 포기하고 외면하는 것이다. 그들의 마음 저변에는 '나는 누군가로부터 사랑받을 만한 사람이 못 된다'는 생각이 자리 잡고 있다. 가까이 다가오는 사람들이 결국은 상처만 입히고 떠나거나 자신을 싫어하게 되리라 생각하고, 그것이 두려운 나머지 가까워지기를 포기한다.

내 마음의 변화를 살피며 상대의 마음도 함께 헤아리는 것은 생각보다 복잡하고 어려운 일이다. 그 과정에서 상처받고 버려지리란 두려움이 커지면서 상대방과 가까워지는 상황을 미리 회피해 버리는 것이다.

왜 이렇게 아픈지, 내 마음을 헤아려보고 이해해줘야 한다.
세상 그 누구보다도 내가 먼저 나 자신을 살펴봐 줘야 한다.
나 자신의 마음을 헤아릴 수 있을 때
비로소 타인의 마음을 보는 눈이 열리고
속마음까지 소통할 수 있게 된다.
마음과 마음이 맞닿는 진정한 관계를 경험함으로써
우리의 삶은 한 발짝 더 행복을 향해 나아간다.

PART 03

나의 아픔을 어루만지기

이제
나 자신의
치유자가
되어줄 차례다

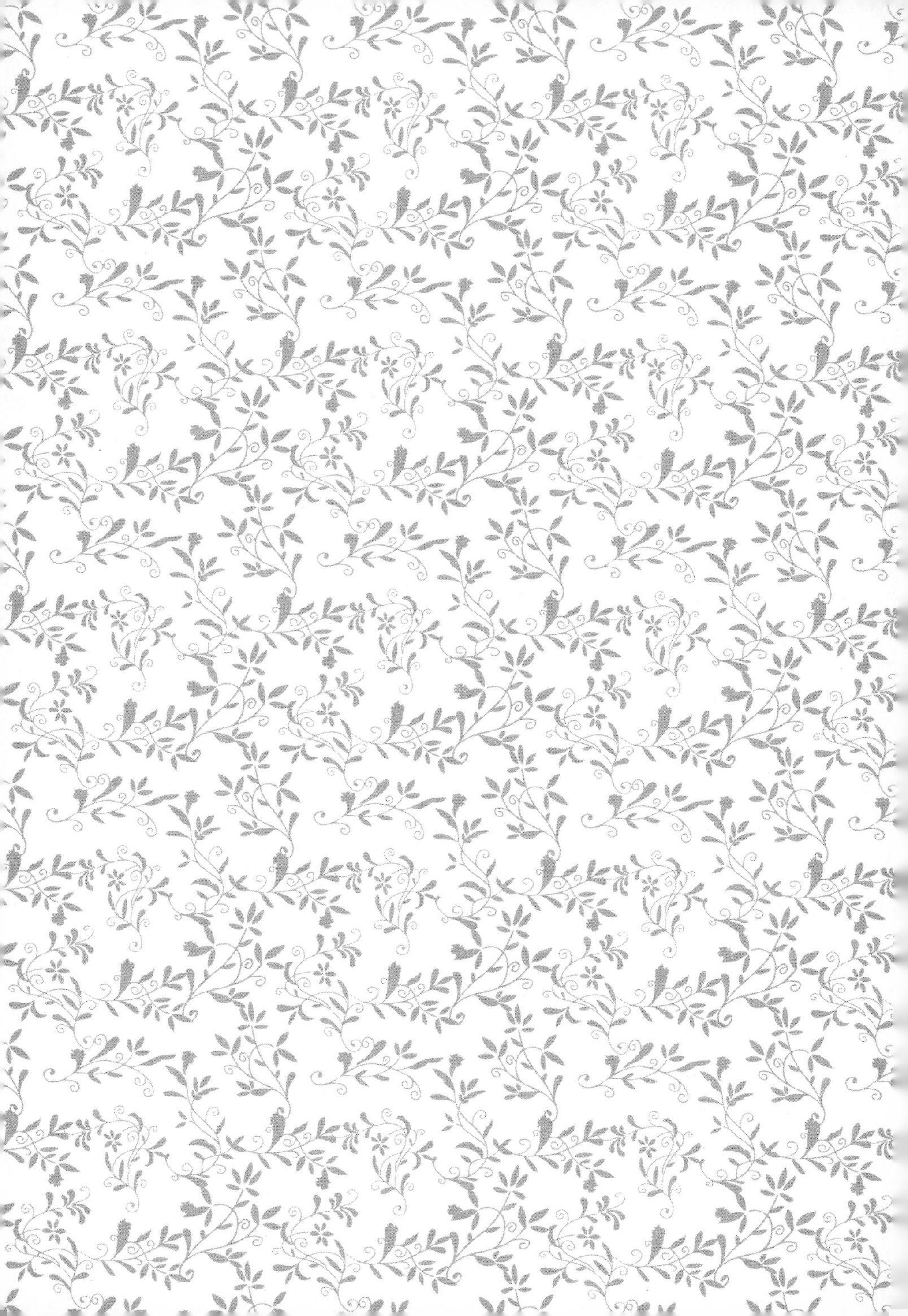

회복할 힘은 내 안에 있다

마음의 상처를 아물게 하려면 회복탄력성이 필요하다. 회복탄력성은 트라우마가 좋은 방향으로 작용하도록 바꿔나가는 원동력이다. 마음의 상처로 인해 힘겨워도 좌절하지 않고 오히려 자신을 성장시키는 방향으로 이끌어가는 힘이라 할 수 있다. 회복탄력성은 물 위를 떠가던 배가 균형을 잃고 기울어졌을 때 다시 균형을 잡는 복원력을 의미하기도 한다. 탄성 좋은 공이 바닥에 떨어졌을 때 더 높이 튀어 오르듯, 회복탄력성이 좋은 사람들은 외상후스트레스장애나 우울증, 인격장애 등에 빠지지 않고, 일시적으로 힘든 시기를 거쳐 오히려 더 나은 사람, 더 성숙한 사람으로 발전할 수 있다.

이것이 '외상 후 성장'이다. 온실 속 화초처럼 살아온 사람보다는 역경을 이겨내며 살아온 사람이 더 성숙할 수 있는 것은 결코 우연이 아니다. 회복탄력성을 높인다면 마음의 상처를 입은 후 외상후스트레스장애에 머무르는 것이 아니라 외상 후 성장으로 나아가는 것도 충분히 가능하다.

그렇다면 회복탄력성은 어떻게 키울 수 있을까?

힘든 상황을 견뎌내는 과정에서 믿고 의지할 대상이 있는 것이 가장 중요하다. 어려운 상황 속에서도 부모님이 계속 지지해 준다거나, 자신을 절대적으로 믿어주는 친구나 선생님, 친척 등이 있다거나, 신앙적인 면에서 신 혹은 절대자가 확실한 의지처가 되는 경우 등이다.

더불어 자신이 자신의 내면을 늘 살피고 다독이면서 자신의 마음을 다스리는 훈련이 필요하다. 상처받은 마음을 수시로 들여다보고, 내면과의 대화를 이어나가는 자기 마음 헤아리기의 과정이 반드시 동반되어야 한다.

나 자신을 있는 그대로 받아들이기 위한 준비

위험한 환경은 사람에게 어떤 영향을 줄까? 저마다의 유전적 특성에 따라 환경의 영향이 달라지기도 할까? 즉, 어떠한 사람에게는 안 좋은 환경이 더 큰 영향을 미치며, 또 다른 사람에게는 그보다 적은 영향을 미칠 수도 있는 걸까?

이에 관한 웨이&테일러Way&Taylor의 2010년 연구에 따르면, 위험한 환경에 노출된 경우 우울증 변수가 유독 높아지는 사람들이 있다.

우리 몸의 세로토닌 수송체는 세 가지 유전형으로 나뉘는데, 이 중 한 가지 유전자 타입(세로토닌 수송체의 유전자가 모두 짧은 타입)의 사람은 환경적 영향에 더 취약하다. 위험한 환경에 노출되면 우울증이 굉장히 심해지고, 반대로 좋은 환경에 노출되어 성공할 경우 다른 유형에 비해서 오히려 우울증 증상이 적거나 거의 없는 것으로 관찰된다. 다른 유전자들은 환경에 크게 영향을 받지 않는 데 비해, 이 유전자는 유난히 환경의 영향을 크게 받는다. 좋은 환경에 있을 때는 밝고 긍정적으로 살아가지만, 위험한 환경이나 힘든 환경에서 성장할 경우 우울증에 걸리거나 성격 문제가 심각하게 발생할 수 있다.

이처럼 환경에 취약한 유전자가 있는가 하면, 환경의 영향을 덜 받는 유전자도 있다. 그 때문에 유전적 요인과 환경적 요인은 상호작용한다고 할 수 있다. 특히나 환경 요인에 예민하게 반응하는 유전적 기질을 가진 사람이라면, 가급적 위험한 환경에 노출되지 않도록 하는 것이 중요하다.

사람마다 체질적 특성이 환경과 상호작용하는 형태가 다르다. 오로지 유전자 타입에만 근거해 보자면, 환경의 영향을 덜 받는 사람들이 더 높은 회복탄력성을 지녔다고 할 수 있을 것이다. 그러나 인간에게 있어 유전자가 모든 것은 아니다. 우리에게는 환경을 조절하고, 자신을 변화시킬 힘이 있다. 내가 가진 유전적 요인을 바꿀 수 없다면, 나와 내 주변을 바꿈으로써 회복탄력성을 높일 수 있는 것이다.

어린 시절부터 트라우마를 반복해서 받은 사람들은 자신에 대해 부정적 자아상을 지니며, 그것에 압도당하는 경우가 많다. 내가 문제인 것 같고, 내가 나쁜 사람이며, 괜히 태어나서 부모 간의 불화를 만들었다는 등 자신의 존재 자체를 부정적인 방향으로 인식한다. 때로는 위로를 갈구하지만, 진정으로 자신의 마음을 알아주는 사람은 없다며 또다시 좌절한다.

그러나 우리는 알고 보면 태어나는 순간부터 지금까지 가장 좋은 친구와 함께해왔다. 바로 나 자신이다. 태어난 그 순간부터 나의 마음은 내 존재와 늘 함께였다. 자신을 진정으로 위로할 수 있는 가장 좋은 친구는 바로 자신의 마음인 것이다.

외롭고 힘들다면 그 어느 때보다도 자신을 받아들이고, 나의 마음을 수용해줄 필요가 있다. 그 첫 번째 방법이 있는 그대로의 자신을 받아 안는 마음챙김이다. 우선은 나에 대해 더 자세히 알아가는 과정이 필요하다.

1단계 : 의식 수준에서 나 자신을 챙기기

살아 있음을 느껴본 적이 있는가? 살아 숨 쉬고 있는 이 순간에 집중해보자. 숨을 들이마실 때와 내쉴 때의 감각에 집중한다. 눈으로 보는 것, 귀에 들려오는 소리 등에 신경을 끄고 오로지 내 몸에서 느껴지는 것에만 관심을 기울인다. 숨을 들이마실 때 차가운 공기가 코로 들어와 목을 지나서 폐로 들어가는 그 느낌, 부풀었던 폐가 다시 줄어들면서 그 공기가 다시 반대 과정을 거쳐 빠져나오는 것을 느껴본다. 이것이 바로 호흡 명상이다.

신체에서 미세하게 느껴지는 감각들을 있는 그대로 느끼면서, 그 느낌을 받아들이는 것이 호흡 명상에서 가장 중요한 부분이다. 그 과정에서 다른 것들은 다 버려두고, 오로지 숨 쉬는 감각에만 집중한다. 들이마시고 멈췄다가 다시 내쉬며, 내쉬는 순간의 느낌을 더 잘 느끼기 위해 노력하자.

호흡 명상 외에 건포도 명상도 있다. 건포도 명상이란 대상을 가지고 하는 명상이다. 이때 대상이란 굉장히 사소한 것이어야 한다. 건포도를 예로 들자면, 일단 건포도 한 알을 손 위에 올려놓고, 그 표면의 쪼글쪼글한 것을 손의 감각으로 느껴본다. 그다음에 그것이 입술에 느껴지는 느낌, 입안에 넣었을 때 혀와 입천장에 닿는 느낌, 삼켰을 때 식도를 지나가는 느낌 하나하나에 신경을 기울인다. 그 과정에서 신체 감각을 제대로 느껴보는 것이다. 아무 생각 없이 건포도를 먹을 때와는 달리, 자그마한 외부 자극이 천천히 내 몸의 감각을 어떻게 변화시켜 가는지 잘 살펴보아야 한다.

신체의 오감을 그대로 인식하는 이러한 훈련을 할 때는 가능하면 생각을 내려놓고, 순간의 감각에만 집중해야 한다. 그럼에도 불쑥불쑥 솟아오르는 생각들이 있을 것이다. 그런 생각들은 일단 흘려보내고, 나중에 살펴보기로 한다. '왜 이런 생각이 떠올랐을까' '왜 그 기억이 갑자기 떠오르지' '지금 이 말을 왜 하고 싶은 걸까' 등은 다음 단계에서 살펴보자.

2단계 : 생각을 있는 그대로 바라보기

우리 마음과 뇌에서는 샘물처럼 생각과 감정이 솟아오른다. 그것을 있는 그대로 적거나 말해보자. 일기를 쓰는 것도 좋은 방법이다. 정신분석에서는 '자유연상'이라고 하는데, 일상에서는 일기나 명상, 묵상 등을 통해 자신의 생각이나 감정을 풀어낼 수 있다.

그런데 일기를 쓰다 보면 남을 의식하게 되는 경우가 생긴다. '이런 것까지 써야 하나' '이런 내용을 썼다가 남이 보면 나를 어떻게 생각할까' 라는 생각이 자신의 생각이나 감정을 그대로 적거나 말하는 것을 방해한다.

우리는 감정을 숨기거나, 사회에서 받아들이기 좋은 방향으로 자신의 감정을 변화시켜서 느끼려고 하는 경향이 강하다. 진정 내 마음을 헤아리기 위해서는 이러한 자기 검열의 잣대를 내려 놓아야 한다. 뜬금없이 나쁜 생각이 떠오르거나 탐욕스러운 생각이나 부끄러운 느낌이 들더라도 그대로 적거나 말하는 데서부터 자기 마음을 제대로 알아가는 과정이 시작된다. 남이 나를 어찌 생각할까 하는 염려 때문에 스스로 주저하게 되는 생각 속의 생각을 인식하는 것이 중요하다.

자유연상 시간에 어느 환자가 이런 이야기를 한 적이 있다. '좋아하는 사람이 있는데 아직 말을 걸어보지 못했다'는 내용을 일기에 썼는데, 그 일기를 엄마가 읽었다는 사실을 안 후 기분이 안 좋고 죽이고 싶을 정도로 미워하는 마음이 들었다는 것이다.

또 다른 환자의 경우, 어느 날인가 엄마가 애인, 다시 말해 여자로 느껴지는 감정이 순간적으로 들었다고도 털어 놓았다. 두 환자 모두 이렇게 자신의 마음을 있는 그대로 말하기까지, '의사 선생님이 나를 어떻게 생각할까' 라는 번민이 있었다.

남의 시선에 대한 두려움을 극복하고 자신의 생각을 그대로 바라보는 것이 중요한 이유는 무엇일까? 결코 실행에 옮기지 않을, 그저 마음속에서 순간순간 떠오르는 이상한(?) 생각들에까지 굳이 관심을 쏟는 이유가 궁금하지 않은가?

이러한 과정을 통해 생각이 자신을 조정하고 있음을 깨달을 수 있기 때문이다. 생각 속의 생각이 진행되는 것을 인식하다 보면 '내가 생각이 굉장히 많고 산만하구나'라거나 '한 가지 생각에 그대로 머물러 있지 않고 이런 저런 생각들이 튀어 올라 자꾸 나를 흔드는구나' 하는 것을 알 수 있다.

감정이 시작되는 순간, 알아차리는 연습

여러 생각 중에서도 특히 감정과 관련된 부분은 있는 그대로, 정확히 인식하기가 쉽지 않다. '뭔가 불편해지기 시작했다'라는 초기 감정이 점점 커져 슬픔이 될 수도, 분노가 될 수도, 불안으로 발전할 수도 있다. 그런데 이 '불편이 시작되었다'는 초기 감정을 제대로 인식하지 못하면 그것이 발전하는 과정에서 감정을 콘트롤하지 못해 분노가 폭발하거나 지나친 슬픔에 빠진 나머지 자살이나 자해 시도 등으로 이어지게 된다. 감정이 시작되는 부분, 즉 감정의 촉발점을 인식해야 효과적으로 조정할 수 있는데, 특히 남자들이 이 부분에서 약한 경향이 있다.

필자의 경험이다. 신혼 시기 아내와 이런저런 이야기를 나누던 중 갑자기 아내가 무슨 일로 기분이 나빠진 것이냐, 어떤 부분이 문제였느냐고 묻는 것이 아닌가. 나는 어리둥절해져서 대답했다.

"아니, 전혀 그런 것 없어."

그러자 곧장 아내가 말했다.

"그럼 왜 낯빛을 바꾸며 말을 멈추는 거야? 그런 표정을 짓고 있으면서 기분이 나쁘지 않다니, 말이 돼?"

결국 이 문제로 아내와 한바탕 싸웠다. 그리고 한두 시간이 지나서야 나는 깨달았다. 아내가 이야기한 무언가로 인해 예전의 안 좋았던 기억이 연상되면서 기분이 나빠졌던 것임을. 자신의 기분이지만 나는 미처 알아차리지 못한 사이, 상대방이 먼저 느끼고 반응했던 것이다. 필자가 특별히 둔해서가 아니다. 감정을 인식하는 훈련이 잘되어 있지 않으면 이런 일을 알게 모르게 겪게 된다. 지금 이 글을 읽는 독자도 종종 "어디 안 좋아?" "왜 기분이 나빴어?"라는 질문을 듣곤 한다면, 자신을 되돌아볼 일이다.

감정을 인식하는 것은 말처럼 쉬운 일이 아니다. 선천적으로 감수성이 둔한 사람은 물론이고, 내적 상처가 있는 사람들도 감정 인식 훈련을 힘들어한다. 특히 트라우마를 많이 경험한 사람들은 감정을 피하는 습관이 있다. 아주 강한 감정이 아니면 잘 인식하지 못하므로 작은 불편감으로부터 시작되는 '감정의 촉발 지점'을 알아차리기가 굉장히 어렵다. 이를 극복하기 위해서는 단계적인 감정 인식 훈련이 필요하다. 첫 단계는 감정 변화에 따라 나타나는 신체 반응을 인식하는 것이다.

불안해지면 손에 땀이 나고 가슴이 답답해지며, 숨이 잘 쉬어지지 않거나, 명치가 아프다거나, 손발이 떨리는 등 여러 신체 반응이 나타날 수 있다. 불안할 때 나타나는 대표적인 신체 변화로는 두근거림이 느껴질 정도로 심장이 빨리 뛰며, 손발에 땀이 나거나 등에 식은땀이 흐르는 등이 있다. 심장이 철컹 내려앉는 느낌이 들기도 한다. 중요한 순간에 이러한 반응이 나타나면 자신이 원망스러워진다. 예를 들어 짝사랑하던 사람과의 첫 데이트 날, 갑자기 등이 땀으로 젖기 시작하며 머릿속이 하얘지면 '왜 하필 이런 순간에…' 하는 마음이 들기 마련이다. 중요한 프레젠테이션 순간에 손발이 미친 듯 떨려도 마찬가지다.

그러나 불안에 따른 신체 반응은 생존에 반드시 필요한 것으로, 반드시 부정적인 것만은 아니다. 아주 오랜 옛날, 우리의 조상들은 산길에서 맹수를 만나거나 대립관계의 적을 만나면 순간적으로 싸울 것인가 도망갈 것인가를 결정해야 했다. 싸우거나 도망가기 위해서는 심장이 빨리 뛸 필요가 있다. 그래야 에너지가 생겨서 달려갈 힘이 생기기 때문이다.

감정에 따른 신체 변화를 인지하지 못하고, 단순히 '갑자기 숨이 안 쉬어지네' '심장이 빨리 뛰어서 부정맥이 생긴 것 같아'라는 식으로 감정과 신체 반응을 분리해 생각하면 감정을 인식하는 능력은 더 떨어질 수밖에 없다. 반대로 '심장이 빠르게 뛰는 걸 보니 지금 나는 내가 인식하는 것보다 더 불안한 상태구나' '손발이 젖어오네, 내가 많이 긴장했나 봐'라고 생각하면 자연스럽게 자신의 현재 감정 상태를 깨달을 수 있다.

한편, 기분이 좋아질 때도 신체 반응이 나타난다. 불안을 느낄 때와 마찬가지의 흥분 반응이지만, 그 양상은 다소 다르다. 불안할 때는 팔다리에 힘이 빠지는 데 비해 기분이 좋아지면 힘이 더 나면서 고통이나 통증을 덜 느끼며 심장이 빨리 뛰는 흥분 상태가 된다. 이러한 신체 증상은 '지금 내 감정은 이러저러해'라는 머릿속 판단을 빠르게 앞질러 일어난다. 감정을 인식하고 신체 반응을 깨닫는 것보다, 신체 반응을 먼저 인식함으로써 감정을 깨닫는 편이 더 편리한 이유이다.

예를 들어보자. A씨는 상사와의 면담 중에 갑자기 목에 뭔가 걸린 듯 불편한 이물감을 느꼈다. 그러더니 곧이어 명치 부위가 답답해지기 시작했다. A씨가 평소 감정 인식 훈련을 해온 사람이라면, 이물감이 느껴지는 순간부터 스스로 '불안감을 느끼고 있구나'라고 깨달을 수 있을 것이다. 이어서 명치 부위가 답답해지자 자신이 불안감에 휩싸여 있음이 더욱 확실해진다. A 씨는 머릿속을 가다듬고 생각하기 시작한다.

'어디서부터 이 상황이 시작된 걸까? 이 감정이 내 안에서 어떤 감정들을 만들어내고 있으며, 지금 어떤 생각이 떠오르는가?'

이렇게 자신의 마음속을 잘 살펴보면서, 보살피고 알아가는 것이 자신을 사랑하는 방법이자 자신의 마음을 챙기는 방법이다.

어쩌면 생각에 생각이 꼬리를 물며 다른 생각이 떠오르고, 그와 함께 다른 감정이 나타나는 과정이 반복될지도 모른다. 그렇더라도 '이런 생각은 하지 말아야지' 식의 판단은 접어두고, 그저 바라보도록 하자. 정신분석 세션이나 명상에서는 이러한 일련의 과정을 45분에서 한 시간가량 진행한다.

마음속 앨범을 정리하기

이렇게 하다 보면 처음에는 부모님 이야기로 시작했다가 그것이 형제에 관한 이야기, 친구 이야기 등으로 이어지기도 하며, 아주 어릴 적 엄마와의 관계에 관한 이야기로 연결될 수도 있다.

문득 길 위에서 어딘가로 길게 이어진 붉은 실을 발견했다고 상상해 보

자. 그 실의 끝을 잡고 쫓아가다 보면 골목길을 지나 어느 집에 이르고 마당을 지나 마침내 방 안에 당도하여 실타래의 시작점을 발견하게 될 것이다. 생각의 실타래를 따라가는 과정 또한 마찬가지이다. 무엇이 나를 슬프게 했으며, 어떤 것이 나를 기쁘게 했는지, 삶 속에서 떠오르는 기억들을 좇아가다 보면 내 마음속 깊은 곳에 존재하는, 나도 모르는 마음의 골방을 발견하게 될지 모른다.

힘들고 고통스러웠던 순간을 잘 기억하다 보면, 의식적으로 외면하려 했던 감정들이 생각나게 된다. 기억 속에서 왜곡되어 있던 감정을 조금씩 더 정확하게 느끼게 되기도 한다.

때로는 힘들 때마다 의지가 되어주었던 좋은 기억이 떠오르기도 할 것이다. 마음속 앨범을 정리하듯, 좋은 기억은 좋은 기억대로 나쁜 기억은 나쁜 기억대로 정리해 두자. 이것이 바로 회복탄력성을 높이는 방법이다. 상처받은 내면 아이와 성인이 된 자신을 만나게 하는 방법이기도 하다.

성인이 된 당신은 아마도 내면에서 아파하고 힘들어하는 어린 시절의 자아를 회피하며, 잊어버렸다고 생각하고 살아왔을 것이다. 그러나 상처를 극복하고 참자기를 찾기 위해서는 반드시 내면의 어린아이와 마주해야 한다. 있는 그대로의 자신을 받아들여야 한다. 이를 위해서 자신의 마음속으로 여행을 떠나는 과정이 반드시 필요하다.

'이런 것 때문에 내가 지금껏 아파하고 있었구나' '그때 그 일이 내겐 상처가 되었었구나'라며 자신을 이해했을 때, 진정으로 스스로 위로할 수 있다. '이 같은 상처가 있음에도 참 잘 살아왔네'라며 자신에 대해 기특함을 느끼고, 또 지금껏 버텨준 데 고마워할 수도 있다. 이렇게 위로하고 응원하다 보면 비로소 자신을 사랑할 수 있게 된다.

잘했든 못했든, 과거는 이미 지나간 것이다. 지나간 것은 지나간 대로 받아들이는 과정이 필요하다. '그 당시엔 내가 너무 힘들어서 그랬구나' '그땐 어떠한 열망이 있었기에 그렇게 열심히 살 수 있었구나' 등등 과거의 나를 돌아보고 이해해주자. 이것이 자신을 사랑하는 첫 번째 단계이자, 타인과 좋은 관계를 맺기 위한 첫걸음이다.

우리는 알고 보면 태어나는 순간부터
지금까지 가장 좋은 친구와 함께해왔다.

바로 나 자신이다.

나를 진정으로 위로할 수 있는
가장 좋은 친구는 바로 나의 마음인 것이다.

스스로 사랑하라, 그러지 않으면 안 될 것처럼

필자에게 치료를 받았던 진호 씨(이하 등장하는 이름은 모두 가명임 —편집자 주) 에게는 위로 형제가 한 명 있었는데, 형은 지적장애를 가지고 있어 부모님으로부터 극진한 보살핌을 받았다. 큰 아이에 대한 안쓰러움과 미안한 마음을 항상 가지고 있던 부모님은 둘째인 진호 씨에게도 형에 관한 책임감을 강요했다. "네가 크면 형을 잘 챙겨야 해." "엄마 아빠는 형을 돌보는 것만으로도 힘드니까, 넌 혼자서 잘 해내야 해." 진호 씨는 이런 말을 수시로 들으며 자랐다.

어린 시절 그의 소원 중 하나는 아빠와 손을 잡고 놀이공원에 가보는 것이었다. 그러나 외출할 때면 부모님 두 분은 형을 보살피느라 진호 씨에게 신경을 쓰지 못했고, 어쩌다 진호 씨가 손이라도 잡을라치면 "넌 좀 저리 가 있어!"라는 냉담한 반응을 보일 뿐이었다.

필자와 만났을 때 그는 이미 두 번의 자살 시도에서 실패한 상황이었다. 처음에는 약물을 과다하게 복용했고, 두 번째는 방 안에 번개탄을 피웠다. 이후 부모님의 권고로 병원을 찾아 진료를 받았고, 입원해 지내다가 퇴원하였다. 그리고 얼마 후, 이번에는 한강에 있는 큰 다리에서 뛰어내렸으나 미수에 그쳤다는 소식이 들려왔다. 다행히도 골반과 발목 골절에 그쳤다는 것이었다.

대체 왜 그렇게 죽으려고 하는 걸까, 그 이유를 정확히 알 필요가 있었다. 진호 씨와 함께 그가 살아온 나날들을 쭉 돌아보기로 했다. 처음에는 주저하던 그도 상담이 진행될수록 속내를 털어놓기 시작했다. 진호 씨는 부모님에게 인정받기 위해 명문대학의 자신이 원하던 학과에 입학했다고 말했다. 교수가 되면 부모님이 자신을 인정할 것이고, 또 아픈 형을 책임질 수도 있으리라 생각했다는 것이다.

"그런데 막상 진학하고 보니 대학생활은 생각했던 것과 많이 달랐어요. 교수님의 강의는 열성적인 것과는 거리가 멀었고, 학생들도 태만했어요. 동기들은 노는 데 바빴죠. 이런 곳에서 열심히 해봤자 잘되기 어렵겠다는 생각이 몰려왔어요. 허무하고, 우울했어요."

그런 와중에도, 자신이 잘되든 못되든 형을 책임져야 한다는 부담감은 점점 커졌다.

"부모님은 항상 '넌 아프지 않게 태어났으니 당연히 알아서 잘해야지'라고 하셨어요. 저에 대한 기대라기보다는 형에 대한 걱정이었던 것 같아요. 형도 밉고, 형을 제게 맡기려는 부모님도 밉고 싫어요. 열심히 살아왔지만 누구도 인정해주지 않는 걸요. 살아야 할 이유를 모르겠어요."

진호 씨의 이런 이야기를 듣고 그의 부모님과 상담하였다. 둘째 아들인 진호 씨에 대한 마음을 물었다.

"둘째 아드님은 사랑하지 않으십니까?"

"당연히 사랑하지요. 저희 나름대로는 둘째를 지원해주기 위해 별도로 모아둔 재산도 있습니다. 다만 저희가 나중에 세상을 뜨더라도 둘째가 형을 좀 돌봐주기를 바라는 마음이 커서 했던 말들이 아이에게 부담이 되었던 것 같습니다."

"큰 아드님은 지금처럼 돌보시다가, 부모님 두 분이 여력이 안 되면 전문 시설 등에서 보살핌을 받을 수 있도록 조처해 두시는 것이 좋겠습니다. 그게 둘째의 부담을 덜어주는 방법입니다. 그리고 진호 씨에게도 형 못지않게 사랑하고 있다는 마음을 적극적으로 표현해 주세요. 큰 아이에게 사랑을 쏟으신 나머지, 둘째를 사랑하는 마음을 제대로 표현하시지 않았던 것이 둘째에게는 너무나 큰 상처가 되었습니다."

이날의 상담 이후로 진호 씨는 조금씩 바뀌기 시작했다. 부모님은 물론이고, 진호 씨의 간병인도 그를 자기 아들처럼 지극정성으로 돌봐주었다. 하루가 다르게 우울증에서 회복되어 퇴원 이후로는 더 이상 죽으려는 시도를 하지 않았다. 자신을 벌하거나 없애려는 행동이 줄어든 것이다.

부모로부터 인정과 사랑을 받지 못한 사람은, 자신을 온 마음으로 사랑하는 데 어려움을 겪는다. 그리고 이를 위한 아주 힘든 과정을 거치게 된다.

얼마 전 개봉한 영화 〈사도〉는 친아들을 뒤주에 가둬 죽인 영조와, 아버지의 인정을 갈구하다 마침내는 미쳐버린 사도세자의 비극적 부자관계를 그렸다. 영조는 어머니 숙빈 최씨가 천민 출신인 것과 관련해 평생을 열등감 속에서 살았다. 게다가 이복형인 경종을 독살하였다는 소문까지 돌면서, 자신에 대해 부정적인 감정이 컸던 것으로 보인다. 스스로 사랑하지 못한 아버지(영조)는 아들(사도세자)에게 자신의 부정적 자아상을 그대로 투사하기에 이른다. 아들을 강하고 위대한 왕으로 키우겠다는 기대가 큰 나머지 어린 아들의 미숙하고 부족한 부분만 부각시킴으로써 아들이 못나 보이고 미워지게 된 것이다.

자신을 사랑하지 못하는 사람이 가족이나 자녀, 가까운 사람들을 있는 그대로 사랑하기란 힘든 일이다. 그러한 사람의 사랑은 조건부 사랑이기 쉽다. 자신의 기준에 맞지 않으면, 사랑은 미움이나 경멸로 바뀐다. 자신의 이상적인 기준에 상대를 억지로 맞추려고도 한다. 그 과정에서 상대는 계속해서 상처받는다. 특히 그 상대가 어린 자녀일 경우 제대로 된 자아상을 키우지 못하므로 상처가 대물림된다.

누군가를 진정으로 사랑하고 싶은가? 자신과 같은 상처를 받지 않도록, 마음을 다해 당신의 자녀를 키우고 싶은가? 그렇다면 그 출발점은 자신을 사랑하는 것이 되어야 한다.

회복탄력성의 기본 바탕, 어린 시절

어린 시절 부모로부터 받은 인정과 사랑은 한 사람이 살아가는 데 있어 평생의 힘이 되고 긍정적 자아상을 형성하는 주춧돌이 된다. 다행히도 부모가 그런 경험을 제공해 줬다면, 힘들고 어려울 때 그 기억을 꺼내서 자신을 사랑하는 출발점으로 삼아야 할 것이다. 그런데 아무리 기억하려 애써도 부모로부터 사랑받은 기억이 떠오르지 않는다면, 또한 어린 시절이 힘들었던 사람이라면 어떻게 해야 할까? 그 부모 역할을 어른이 된 지금의 내가 기억 속 어릴 적 나 자신에게 해줄 수 있다. 내 이름을 부르며 내게 이렇게 말해주는 것이다.

"어렸을 때 ○○가 그렇게 힘들었구나, 그래도 지금 이만큼 살고 있는 것이 다행이고 대견해. 잘 극복해왔고, 그 자체만으로도 대단한 거야."

이렇게 자신을 인정하는 데서부터 다시 시작할 수 있다.

어린 시절을 힘겹게 보낸 사람들에게 그 시절 그 감정은 떠올리고 싶지 않은 고통이다. 외면하거나 회피하려 하는 것도 당연하다. 그러나 용기를 내어 "그건 내가 잘못한 게 아니라, 상황이 나빴던 거야. 나는 어릴 때라 어쩔 수 없었어"라고 말해주어야 한다. 자기 자신을 마음으로 포용해야 한다.

친족 성폭력 생존자 은수연 씨(필명)는 어린 시절 겪었던 성폭력 피해의 경험을 《눈물도 빛을 만나면 반짝인다》라는 책을 통해 이야기했다. 외국에서는 이미 여러 명의 친족 성폭력 피해자들이 자신의 사연을 공개적으로 발표했지만 우리나라에서 책으로 자신의 경험을 공개한 분은 은수연 씨가 처음인 것으로 알고 있다. 책 속에서 그녀는 거듭되는 아버지의 성폭행 속에서도 "나쁜 건 내가 아니라 저 사람이야"라는 생각 덕분에 자신을 지킬 수 있었다고 말한다. 반복해서 '내가 아니라, 저 사람이 문제야'라는 걸 되새겼고, 자신을 지키고 사랑하기를 포기하지 않았다. 그녀는 상상하기 힘든 고통 속에서도 내면의 자신을 지켜냈고, 결국 가해자인 아버지를 처벌받게 하고 폭력의 악순환을 끊을 수 있었다.

상처받는 환경에 놓여있을수록 자신을 지키기 위한 자기 사랑의 과정이 절실하게 필요하다. 결코 쉽지 않은 일이지만, 행복한 삶, 진정 나다운 삶을 살고 싶다면 나를 사랑하는 것이 그 첫걸음이자 필수 과정이다.

내 탓도 그만
남 탓도 그만

상처가 많으면, 자신을 책망하기 쉽다. 이것을 어느 선에서 그만두지 못하면 자책이 깊어지다 못해 책망의 방향이 뒤틀려 상대를 향하게 된다. 누군가로 인해 마음이 아프다면, 정말 상대가 자신에게 상처를 준 것인지 아니면 자신이 예민하게 반응하는 것인지를 잘 구별해낼 수 있어야 한다.

회사원인 소연 씨는 근래 들어 남자친구와의 다툼이 잦아졌단다.

"남자친구가 직장을 옮기면서 바빠서 못 만나게 되는 일이 많아졌어요. 그런데 '오늘은 못 만나겠어, 미안'이라는 말을 들으면 그렇게 눈물이 나는 거예요. 머릿속으로는 '바쁘니까, 시간이 없으니까'하고 이해하는데 마음으로는 '정말 사랑하면 무슨 수를 써서라도 만나려고 하는 게 남자라던데 왜 내 남자친구는 그러지 않지, 나는 그럴 만한 가치가 없는 여자인가' 등등 별별 생각이 다 들어요. 혼자 있는 걸 싫어한다고, 외로운 게 세상에서 가장 싫다고 말했는데도 제게 무심한 남자친구가 미워요."

외동딸이었던 소연 씨는 중학생 때 어머니가 돌아가신 후 아버지를 따라 지방으로 이사했고, 밤늦게 귀가하는 아버지 때문에 거의 혼자 지내다시피 한 경험이 있었다. 낯선 환경, 외로움, 적막함은 그녀의 상처를 대변하는 것이었다. 상대가 상처를 준 것이 아니라, 내가 늘 상처받았던 부분을 자극받아 다시 아픔을 느낀 것이다.

누군가의 말로 인해 상처받은 경우도 마찬가지이다. 상대는 별로 의미를 두지 않은 말인데도, 그것이 트라우마를 건드리는 순간 아픔을 느낄 수 있다. 과거의 상처가 지금의 감정을 증폭되게 만드는 것이다.

그런데 경계성인격장애 환자들이 자신을 나쁘게 생각하는 정도는 일반적인 사람들이 '나는 좀 문제가 있어, 결점이 많아'라고 생각하는 것과는 차원이 다르다. '나는 정말 죽어 마땅한 사람이야, 없어져야 할 만큼 나쁜 사람이야'라는 생각에 쉽게 휩싸인다. 왜 이런 비뚤어진 자아상을 가지게 된 걸까? '모두가 나를 미워하고 싫어해, 이 세상에 나를 좋아하는 사람은 아무도 없어'라는 기억이 어린 시절부터 마음속에 쌓여오면서 너무나 크게 자리 잡고 있기 때문이다.

앞서 2장에서 '90 대 10의 원칙'에 관해 말하였다(95페이지 참고). 삶의 한 순간 어떤 감정을 느낄 때, 그 감정이 생기는 데 있어 현재 상황의 영향력은 10%에 불과하다. 나머지 90%는 과거로부터 누적된 경험과 기억의 몫이다. 지금 당신이 느끼는 감정은, 현재의 경험과 과거로부터 이어져 온 경험이 어우러져 만들어낸 결과이다. 살면서 느꼈던 기쁨과 슬픔, 겪었던 좋은 일과 나쁜 일이 쌓이고 쌓여 지금의 생각과 감정을 느끼게 된 것이다.

지금 죽고 싶을 만큼 우울하다면, 그것은 온전히 지금 겪고 있는 상황이나 사건 때문만이 결코 아니다. 이를 인지하고, 90%의 과거 요인을 찾아내는 과정이 필요하다. 어떤 경험과 기억이 내 마음속에서 작용하고 있는지를 반드시 돌이켜 살펴봐야 한다.

나쁜 환경이 나쁜 감정 습관을 만든다

자신에 대해 부정적인 감정을 가지게 되는 이유로는 여러 가지가 있다. 그중에 비교적 흔한 것이 어린 시절 가정 폭력, 또는 부부 갈등의 상황에 무방비로 노출되었던 경험이다.

부모가 싸우는 것을 눈앞에서 지켜볼 때, 아이는 천둥 번개가 치는 초원 한복판에 아무런 방비 없이 서 있는 것 같은 불안과 두려움을 느낀다. 부모 두 사람은 서로에게 부정적인 감정을 내뱉고 있을 뿐, 아이에게는 아무런 위해를 가하지 않았으니 아이가 무슨 영향을 받았겠느냐 생각할지 모른다. 오히려 '지금 나는 기분 나쁜 상태에 있으니 네 아빠나 엄마에게 이렇게 전하라'고 아이를 통해 상대와 소통하려 하는 경우도 있다. 그러면서 평상시 아이에게만큼은 사랑을 쏟고 있다고 생각하는 것이다.

그러나 아이의 마음은 완전히 다르다. 아이는 '내가 괜히 엄마 아빠 사이에서 태어나서 이런 일이 생긴 건 아닐까' 자책하며, '나는 아빠가 엄마를 때려도 엄마를 지킬 수 없어. 엄마가 아빠를 비난해도 난 아빠를 위로할 수 없어. 나는 바보 같아'라는 마음을 품게 된다. 부모의 싸움을 자주 목격할수록 이런 생각에 지배당하고, 그에 따라 무능력감과 죄책감 등 자신에 대한 부정적인 감정이 커진다.

이것은 나아가 왜곡된 마음 헤아리기 습관을 만들 수 있다. 예를 들어, 아버지가 술을 마시고 돌아와 엄마를 때리곤 했다면, 아버지를 미워하는 데서 그치지 않고 그것이 세상 모든 남자에 대한 불신과 증오로 왜곡될 수 있다. 반대로 어머니가 아버지를 지나치게 비난하고 언어적으로 괴롭혔다면, 여성 전체에 대한 부정적 감정이 커질 수 있다.

부모들이 자식의 아픔에 잘못된 대처를 하는 또 한 가지 대표적인 경우가 있다. 성폭력 생존자 부모의 상당수가 부끄럽게 생각하면서 피해 사실을 감추려고만 하는 것이다. 피해 입은 자녀의 마음에는 관심을 갖지 않은 채, 무조건 상황 수습만 하려고 하며 "아무한테도 말하지 마라, 이 이야기는 평생 마음속에 담고 살아야지 이게 알려지면 넌 큰일 난다"는 식으로 피해자를 겁주기도 한다. 피해자는 자신이 씻을 수 없는 잘못을 저질렀다고 생각하거나, 자신의 인생에 결점이 남게 되었다고 여기기 쉽다. 피해자가 아픔을 극복하도록 도움을 주기는커녕 자신에 대한 잘못된 부정적 이미지를 키우도록 부추긴다. 이처럼 잘못된 초기 대응은 성폭행 피해자들을 더욱 큰 고통 속에 빠지게 만든다.

가장 먼저 필요한 대응은, 성폭행 사실을 숨기려 하기 전에 그 상황에서 가장 힘들고 마음이 아픈 것은 피해자라는 사실을 알아주는 것이다. 자녀의 다친 마음에 공감하고 위로하면서 네 잘못이 아니라는 사실을 강조해 주는 것이다. 자녀가 힘든 상황속에서도 자신을 지키고 사랑할 수 있도록 응원하고 격려해야 한다.

특히 아동 성폭행은 가해자가 피해자와 상당히 가까운 관계인 경우가 많다. 정옥 씨는 어린 시절 작은아버지로부터 성폭행을 당했다. 그녀의 마음속에서 그 일은 절대 열려서는 안 되는 비밀 상자, 입 밖으로 내서는 안 되는 시한폭탄과도 같았다. 십수 년이 흘러 아이를 낳고 가정을 꾸렸지만 '혹시 알려지면 어떻게 하나, 이 사실을 알면 남편은 어떻게 생각할 것이며 시어머니는 가만히 있을까'라는 생각에 항상 불안함을 느꼈다. 마음이 항상 긴장되어 있다 보니 남편이 별것 아닌 일로 화를 내도 '혹시 다 알아버린 것 아니야? 나를 미워하는 걸까? 내가 싫어진 걸까?'라며 걱정했다. 다 큰 성인이 되어서도 이렇게 마음속에 폭탄을 안고 살아가는 사람들이 많다. 이 경우 자신이 잘못한 것이 아님을 가까운 가족들로부터 인정받는 것이 치유의 과정이 된다. 그것이 어렵다면 의사나 상담가 등 치료자에게서라도 인정받는 것이 중요하다.

자신에 대한 부정적 감정을 혼자서 극복하기란 무척이나 어렵다. 치료자와의 상담 과정에서도 '이런 것까지 이야기해도 되는지'에 대해 갈등한다. 마음속 깊은 곳에 있는 상처를 열어보기 위해서는 여러 차례에 걸친 면담과 아주 조심스러운 접근이 필요하다. 치료자는 어떤 이야기든 이해할 수 있고 비밀을 보호해줄 수 있으니 내담자가 어떤 말을 해도 괜찮다는 확신을 가질 수 있는 면담 환경을 제공해야 한다. 이렇게 이야기를 풀어나가다 보면 분명 피해자임에도 불구하고 누구에게도 이해나 위로를 받지 못했고, 오히려 자신을 용서하고 이해하지 못했던 기억이 떠오른다. 그 과정에서 과거의 감정을 재경험하며 다시 슬퍼하고 눈물을 흘리게 되곤 한다. 이때 본인 잘못이 아님을 확실하게 해주는 것이 가장 중요하다.

'나는 어쩔 수 없었다'는 사실을 수용하고, 스스로를 미워하고 벌주려 하는 마음을 떨쳐내는 데서부터 출발해야 한다. 그다음에는 중요한 사람에게 그것을 고백하고, 그에 관해 상대가 어떻게 생각하는지를 확인해보는 기회를 마련하도록 한다.

정옥 씨는 치료자의 도움을 받아 과거 성폭행 피해 경험을 어렵게 꺼내서 남편에게 이야기하였다. 길게 말하지 않았으나 남편은 맥락만으로도 상황을 알아차렸다.

"당신이 잘못한 게 뭐가 있어. 그것 때문에 너무나 힘들게 살아왔겠구나, 그래도 참 잘 살아왔다."

이처럼 공감하고 지지해주는 남편의 반응은 그 자체로 치유제가 되었다. 《눈물도 빛을 만나면 반짝인다》의 은수연 씨 역시 이와 비슷한 경험을 쓰고 있다. 수연 씨가 남자친구에게 "나 아빠에게 강간당했어"라고 말하자, 남자친구는 이렇게 답했다고 한다.

"수연 씨, 잘 컸네요."

이러한 지지가 앞으로 그녀가 상처를 극복하고 행복한 삶을 살아나가는 주춧돌이 되어줄 것이다.

그러나 때로는 상처를 털어놓았을 때, 이를 악용하려 하는 사람도 있다. 세상에는 다양한 인간 군상이 있기 마련이다. 그런 사람에게 상처를 열어 보였다가는 오히려 더 큰 상처로 되돌아올 수도 있다. 그러므로 아픔을 꺼내 보이기 전에 상대가 나의 아픔을 공유할 수 있는 사람인가 아닌가 반드시 신중하게 판단해야 하겠다.

Make Peace with My Mind

내가 나를
괜찮게 바라봐주기

트라우마는 한 사람의 자아상을 망가뜨린다. 신체적·정서적 폭력은 몸만 아프게 하는 것이 아니라, 마음마저 망가뜨린다. 성적인 폭력, 방치나 방임도 마찬가지이다. '나는 돌볼 만한 가치가 없는 사람인가 봐'라는 생각이 자신도 모른 채 마음속 깊이 자리 잡기 쉽다. 그보다 강도는 약할지라도, 형제나 또래들과 비교당하며 평가받는 경험 또한 상처가 될 수 있다.

한 사람의 성격, 생각의 틀이 만들어지는 데 있어 부모의 영향은 매우 크다. 필자의 경우, 트라우마까지는 아니지만 부모님의 기대에 부응해야 한다는 부담감이 항상 있었다. 형은 늘 자기 하고 싶은 걸 하며 사는 타입이었다. 부모님에게 혼나기도 했지만, 나쁜 일이 아니라면 일단 해보겠다며 밀어붙이곤 했다. 형에 비해 얌전한 편이었던 탓인지, 어린 시절부터 부모님은 나에 대해 "얘는 속을 안 썩이고 알아서 잘해"라고 말씀하시곤 했는데 이것이 알게 모르게 마음의 짐이 되었다. '착한 아들이 되어야 한다' '부모님이 신경 쓰시지 않도록 알아서 잘해야 한다'는 부담감이 늘 마음속에서 작용했던 것 같다.

남과의 비교, 평가와 판단에 노출되어온 사람은 자신을 포장하려는 경향이 강하다. 페르조나, 즉 한 사회에서 역사적으로나 문화적으로 어떤 위치의 한 개인에게 요구되는 모습을 유지하며 살려고 노력하게 된다. 어떤 직장에 다니는지, 결혼은 했는지, 가족 내의 위계에서 어디에 있는지 등에 따라 개인적으로든 사회적으로든 생각과 행동의 틀이 부여되기 마련이다. '이런 사람이 되어야 해'라고 생각하며 거기 미치지 못하면 자신을 탓하거나 부끄러워하기도 한다.

스스로 상처 입히거나, 누군가로부터 상처받지 않기 위해서는 있는 그대로의 나를 긍정적으로 받아들이는 마음이 필요하다. 이 세상에 단 하나뿐인 나를 괜찮게 바라봐줄 필요가 있는 것이다. '남들은 어떻게 생각할지 몰라도, 이만하면 나도 괜찮은 사람이야'라고 생각하자. 괜찮은 사람이냐 아니냐는 상대적인 것이다. 약점이나 결점이 있더라도 어린 시절부터 긍정적 자아상을 잘 키워온 사람들이 있다. 이런 이들은 우리가 흔히 말하는 '인생을 다르게 사는 사람'이 된다. 사지가 없는 남자 닉 부이치치가 그렇고, 선천성 무형성 장애를 가지고 태어나 생후 5개월 만에 버림받았지만 좋은 어머니를 만나 국가대표 수영선수로까지 활약하며 세상을 울렸던 '로봇 다리' 세진이가 그렇다.

자신을 있는 그대로 바라보며 그 모습을 수용하면, 외부로부터 상처받지 않을 수 있다. 그렇지 않으면 타인의 말에 휘둘리고 상처받기 일쑤다. 키가 유독 작은 사람이 '난 키가 작아, 그게 뭐 어때'라고 생각하면 남이 어떻게 생각하건, 키에 관해 뭐라고 말하건 신경 쓰지 않을 수 있다. 그러나 키가 작다는 것이 부끄럽고, 그로 인해 늘 열등감에 사로잡혀 있는 상태라면 "키가 작으시네요"라는 한 마디로 인해 엄청나게 큰 마음의 상처를 받을 수도 있다.

자신을 있는 그대로 받아들이는 것은 관계 측면에서도 중요하다. 나를 편하게 받아들이는 사람은 타인에 대해서도 같은 관용을 베풀 수 있다. '저 사람은 저런 개성이 있구나' '이게 저 사람의 특징이니, 내가 받아들여야지'

라고 인정할 수 있는 폭이 넓어진다. 자신에 대해 판단하거나 남과 비교 평가하지 않는 사람은 타인에 대해서도 지나치게 단정적인 평가나 판단을 내리지 않는다. 상대방을 있는 그대로 인정하고, 바꾸려 하지 않는 것이 얼마나 훌륭한 덕목인지는 인간관계에 관해 고민해본 사람이라면 누구나 알고 있을 것이다.

판단하려 하지 말고, 평가하려 들지 말고

"선생님은 정말 정말 좋은 분인 것 같아요."

기분이 좋아진 환자가 필자를 한껏 칭찬하며 말했다. 그런데, 이렇게 입에 침이 마르도록 나를 칭찬하던 환자가 어느 날 낯빛을 싹 바꾸고 말하는 것이다. "선생님, 정말 나쁜 사람이에요. 선생님은 사람 마음을 전혀 모르는 것 같아요. 그런 마음으로 어떻게 정신과의사를 하세요?" 내 이럴 줄 알았지!

이처럼 사람의 극단적인 면만 보고 순간적으로 판단을 내리는 사람들이 있다. 문제는 자기 자신에 대한 판단까지 이렇게 극과 극을 달린다는 것이다. '이 정도면 괜찮게 사는 거지, 문제없어'라고 생각하다가 어느 순간 갑자기 '나란 인간은 정말 구제 불능이야'라고 생각하는 식이다.

이 정도로 극단적이지 않더라도, 평범한 많은 사람들이 자신에 대해 이렇게 변덕스러운 마음을 가지고 산다. '그래도 나 정도면…' 싶다가도 문득 문득 자신이 한심하게 느껴지며 한숨이 나기도 하는 것이다. 나에 관해서도, 상대에 관해서도 순간으로 전체를 판단하려 하지 말고, 평가하려 하지 않아야 한다. 그것이 최선이다.

나란 사람을 이 순간 있는 그대로 바라보고 받아들이자. 과거의 경험을 섞어서 판단하거나 미래의 걱정을 곁들여서 안 좋은 예상을 하지 말자. 타인과의 관계에서도 마찬가지다. 상대방의 입장에 서서, 함께하는 순간 그 사람을 있는 그대로 바라보기 위해 노력해야 한다. 이것이 마음 헤아리기의 중요한 개념이다.

마음 헤아리기를 잘하려면 나 자신에 관해서는 내가 아닌 다른 사람이 된 듯 제삼자의 눈으로 바라보고, 상대에 관해서는 그 사람의 마음속으로 들어가 그 사람이 된 듯 느끼고 생각해야 한다. 상대방의 입장에서 그 사람의 말과 행동에 담긴 진정한 뜻을 이해하고자 노력해야 하는 것이다. 떠오르는 감정이나 생각을 행동으로 옮기기 전에 한 번 더 객관적으로 살펴보고, 상대방이 왜 그런 행동이나 말을 했는지 진정한 속마음과 뜻을 이해하려는 입장을 견지해야 한다. 이는 어렵지만 원만한 인간관계를 위해 꼭 필요한 일이다.

감정을 조절하는 가장 효과적인 방법

'내가 지금 느낀 감정이 무엇이고, 나는 지금 왜 이런 감정을 느끼는가?'

어떤 강렬한 감정을 느끼고 있다면, 반드시 위의 질문을 기억하고 자문해보자. 왜 이런 감정에 빠졌을까를 생각하다 보면 어느새 그 감정과 거리를 두게 된다.

분노가 느껴진다면, 분노가 자신을 온통 휩싸기 전에 그 감정으로부터 멀어질 필요가 있다. 방법은 간단하다. '지금 내가 화난 건가? 슬픈 건가? 억울한 건가?'와 같이 무슨 감정인지를 파악하고 '왜 화가 났지' 이유를 생각한다. 왜 화가 난 것인지 생각하는 과정만으로도 화는 어느 정도 수그러들기 마련이다. 이처럼 상황을 돌이켜보다 보면 혹시라도 생길 불상사를 막을 수 있지만, 감정에 압도되어 버리면 분노를 이기지 못해 폭발시키게 된다. 결국 자기 행동의 결과를 감수해야 하는 안타까운 상황으로 이어지고 말 것이다. 지인의 경험담을 들어보자.

"남편과 매일 싸웠는데, 싸우다 보면 대체 무슨 일로 싸운 건지 기억이 나지 않을 때도 잦았어요. 그런데 선생님 말대로 화가 난 순간 화를 막 퍼붓기 전에 '왜 화가 났지? 이게 정말 화가 날 만한 일인가? 화가 난 출발점은 어디였을까? 그간 쌓인 감정 때문에 더 크게 화가 난 건 아닐까?' 등등을 생각하다 보니 거짓말처럼 화가 누그러지더라고요. 제가 조금 유해지니 남편도 전처럼 강하게 반박하지 않고, 격하게 싸우는 일도 적어졌어요. 감정 소모가 줄어드니 부부 관계가 조금씩 나아지고 있는 것 같아요."

감정이 고조되었을 때는 이 감정이 대체 어디서 비롯된 것인가를 거꾸로 생각해봐야 한다. 감정에는 1차 감정과 2차 감정이 있다. 1차 감정은 어떤 상황에서 가장 먼저 나타나는 감정이다. 위협을 당하면 두려움을 느끼고 사랑하는 사람을 떠나보낸다면 슬픔을 느낄 것이다. 사랑하는 사람을 다시 만나거나 칭찬을 받으면 기쁨을 느낄 것이다. 이런 감정은 비교적 단순하며, 원초적 감정에 속하므로 동물도 비슷하게 느낄 수 있는 종류이다. 어른이든 아이든 누구나 느낄 수 있는 감정이다.

1차 감정은 상황에 부닥쳤을 때 가장 빨리, 순간적으로 나타나지만 그만큼 빨리 사라지며 2차 감정을 만들어낸다. 2차 감정 가운데는 1차 감정에서 느끼는 두려움, 분노, 슬픔, 기쁨 같은 단순한 감정도 있지만 미움, 부끄러움, 뿌듯함과 같은 다소 복잡한 감정들이 섞여 있는 경우도 많다. 예를 들어, 누군가에게 거절당하거나 무시당하면 화가 날 것이다. 그런데 그 이면에는 자신이 상대로부터 사랑받거나 인정받지 못했다는 슬픈 마음이 자리 잡고 있을지 모른다. 2차 감정은 1차 감정 뒤에 나타나기 때문에 감정이 나타나고 사라지는 일련의 과정을 자세히 살펴야만 알아차릴 수 있다. 내가 느낀 감정이 2차 감정인지 1차 감정인지 살펴보고, 일련의 과정을 돌아보면서 이를 통해 감정을 조절할 수 있다.

감정을 조절할 줄 아는 능력은 회복탄력성을 높이는 측면에서도 매우 중요하다. 회복탄력성을 높이기 위해서는 자기조절, 즉 자기감정과 자기충동 조절 능력 및 상황에 대한 객관적인 분석력이 필요하다. 소통과 공감, 그리고 주변과의 관계를 넓혀나가는 자기확장 등 대인관계 능력 또한 필수이다. 세상에 대한 낙관적인 태도를 가지고, 늘 긍정적인 마음과 감사하는 마음으로 살아가는 것을 '심리적 긍정성'이라고 한다. 심리적 긍정성이 높으면 트라우마가 생겨도 대인관계와 긍정적 마음을 유지하면서 상황을 잘 타개해 나갈 수 있다. 자기 조절 능력과 소통, 공감 등 대인관계 능력은 모두 마음 헤아리기와 관련되어 있다.

당신 자신 외에
당신에게 평화를 가져다줄 이는 없다.

— 에머슨

마음과 마음이 만나야 진짜 소통이다

소통이 제대로 되려면 마음과 마음이 만나야 한다. 지하철에서 바로 옆자리에 앉아 30분을 함께했다 하더라도 서로의 마음을 모르는 사람은 남남이다. 그러나 세월호 사고로 자녀들을 먼저 떠나보낸 부모님들은 현실의 삶에서 아이들과 육체적으로 더 이상 만지고 만날 수 없지만, 마음으로는 언제든 어디서든 마음으로 연결된 삶을 살고 계신다.

서로 이름도 알고 직장에서나 친구 관계에서 서로의 겉모습이나 사회적 위치를 잘 알고 이해했다 하더라도, 마음이 닿지 못하면 소통했다고 할 수 없다. 형식적인 질문, 영혼 없는 대답이 오가는 대화 장면은 언뜻 보기에 아무런 문제도 없어 보인다. 리액션이 좋은 사람이 있으면 즐거운 대화를 나누는 듯 비치기도 할 것이다. 그러나 소통에서 중요한 것은 대화가 끊기지 않고 계속되거나, 반응이 오가는 것이 아니다. 상대와 함께 마음으로부터 주고받는 무언가가 생기고 있을 때 그것이 진정 '소통'이라 할 수 있다.

무언가를 전달하는 과정이 소통이라고 본다면, 소통의 주체인 전달자(센더)가 보내고자 하는 내용과 수용자(리시버)가 받아들이는 내용은 거의 비슷해야 한다. 완벽하지는 않을지라도, 적어도 비슷한 의미와 의도를 두 주체가 공유해야 하는 것이다.

그러나 우리는 어떠한가? 평상적이고 사무적인 대화가 아니라 갈등이 있는 상황에서는 자신의 감정만을 담아 이야기하기 일쑤이다. 특히 연인이나 부부, 친구 사이처럼 가까운 관계에서 이런 일들이 더욱 자주 벌어진다.

"너한테 정말 실망이야."

상대의 문제를 지적하며 자신의 판단만 주장하기도 한다.

"나도 마찬가지야. 네가 그런 식으로 행동하니, 나도 이렇게 할 수밖에 없어."

이들의 대화 이면에는 대개 '내 마음을 알아주었으면 좋겠어' '이 문제를 해결하고 당신과 더 가까워지고 싶어'라는 마음이 숨겨져 있다. 하지만 그러한 마음은 소통되지 않았다.

소통은 마음을 주고받을 때 이루어진다. 위의 말들에는 감정만 있을 뿐, 메시지는 없다. 전달하고 싶은 마음이 부재한, 공허한 말들일 뿐이다. 그러면서 '내 마음을 몰라준다'고 한탄하고 서글퍼하니 아이러니한 일이다.

이런 문제는 특히 부부 관계에서 자주 보인다. 두 사람 다 상황을 잘 극복하고 더 좋은 관계로 나아가자는 마음을 가지고 있으나, 실제로 오가는 말의 내용은 정반대이다. 비난하고 탓하며 감정을 토해내니 진심과는 달리 둘 사이의 골은 점점 더 깊어진다.

아이(I) 메시지로 전달하라

'말 한마디로 천 냥 빚을 갚는다' '아 다르고 어 다르다'는 속담처럼 우리의 말은 엄청난 힘을 갖고 있다. 비슷한 내용이라도 표현 방식에 따라서 완전히 다른 결과를 낼 수 있다.

감정을 표현할 때는 무조건 '나의 감정'에 대해서만 이야기하자.

"지금 나는 슬퍼."

"지금 나는 행복해."

"지금 나는 당신한테 정말 고맙다는 생각이 들어."

"당신의 그런 말을 들으면서 내 마음이 너무 아파."

이러한 식으로 말해야 한다. 즉, 내가 주어가 된 '내 메시지I message'로 전달하는 것이 중요하다.

서로의 마음에 상처를 주는 대화가 되지 않기 위해서는 상대의 마음이 어떤지 내 마음대로 판단하거나 해석하는 것은 최대한 피해야 한다. 가령 "당신이 나를 무시하니까 내가 그런 식으로 행동한 거 아니야"라는 식의 말은 '당신의 행동은 나를 무시하는 행동이다'라는 판단이 이미 들어가 있는 말이다. 정말로 상대방이 나를 무시하려고 그런 행동을 한 것인지는 모르는 일인데도 말이다. 차라리 '당신이 그렇게 행동하는 걸 보며 나는 무시당하는 느낌이 들었다'가 정확한 표현에 가깝다.

내가 정말 하고 싶은 말을 하도록 하고, 상대의 말에 대해서는 그의 진심이 무엇인지를 이해하기 위해 계속 노력하자. 사람의 마음이란 불투명한 것이다. 남의 마음도 그렇지만, 내 마음속도 불투명해서 정확히 보이지 않기는 마찬가지다. 마음을 열어서 보여줄 방법이 없는 한, 언어적 표현이란 불

완전할 수밖에 없다. 더군다나 내 마음을 나 자신도 정확히 모르는 경우가 태반이기 때문에 말로 마음을 정확히 표현하는 데는 한계가 있다. 이 사실을 인정하고, 우선 마음을 자세히 살펴보자. 그러고 나서 가능한 나의 마음을 상대에게 정확히 전달하도록 노력하자.

상대의 마음을 섣불리 판단하려 하지 말고 진짜 속마음을 알기 위해 노력해야 한다. 어쩌면 당신은 뭔가를 잘못 알고 있거나 오해하고 있는 것일지도 모른다. 갈등 상황이라면 특히 그럴 확률이 높다. 그러므로 '혹시 내가 뭘 잘못 받아들인 건 아닐까' '내가 오해하고 있는 게 뭐지'라는 질문을 계속해야 한다. 할 만큼 이야기했고 들을 만큼 들었으니 이제 서로의 마음을 다 알았다는 식으로 섣불리 단정하면, 거기서부터 소통의 단절이 발생할 수 있다.

누군가와 소통하고 싶은 이유는 그와 함께하기를 원하기 때문일 것이다. 모르는 사람이거나 소통할 필요가 없는 사람이라면 서로의 마음을 알기 위해 애쓸 필요도 없다. 조금 더 상대를 이해하고 그 마음을 충분히 알아주기 위해 노력하다 보면, 그리고 내 진심을 알리기 위해 애쓰다 보면 상대의 마음도 열리게 마련이다. 그렇게 해서 내가 하고 싶은 말을 상대도 이해하고 받아들이면, 그것이 바로 진짜 소통이다.

마음 헤아리기를 충분히 활용하면 진정한 소통을 할 수 있고 사람 사이가 가까워질 수 있는 지름길을 찾을 수 있다.

"오늘 A사와의 계약이 불발되었습니다."

"나, 오늘 기분이 상했어요."

이 두 가지 말을 비교해보자. 앞의 문장은 사실을 전달한다. 회사에서 이루어지는 사무적인 보고 등에서는 마음 헤아리기가 거의 필요 없다. 이 같은 사무적인 메시지와는 달리, 뒤의 문장에는 복잡한 감정이 담겨 있다. 그게 어떤 마음에서 비롯된 감정이며, 무슨 상황에서 어떻게 흘러가고 있는지 알려면 생각보다 많은 소통이 필요하다.

왜 가족이 더 아프게 할까

다른 사람들에게는 인정받지 못하더라도 가족에게만큼은 인정받고 사랑받고 싶다. ─이것은 모든 사람이 가지고 있는 밑바탕의 욕구일 것이다. 가족은 서로의 인정과 사랑을 갈구한다. 세상에서 가장 가까운 사이이므로 당연하다.

그런데 이런 가족이, 때론 남보다 더 상처를 주기도 한다. 대체 왜일까?

가족 간의 상호작용에는 자동적 마음 헤아리기 과정, 즉 습관적 마음 헤아리기 방식이 주로 작용한다. 애착 욕구가 커지고 애착 체계가 활성화됨에 따라 부모 자식은 습관적으로 상대의 마음을 헤아리고 단정하기 쉽다. 이를 테면 부모 입장에서는 '누구 자식인데, 말 안 해도 알지. 우리 애는 이렇게 생각할 거야'라고 짐작한다든지, 자녀는 또 '엄마가 뻔하지 뭐, 늘 그런 식으로 생각하니까…'라고 판단 내려 버리는 것이다. 이러한 생각을 바탕으로 소통하려 하니, 소통이 제대로 될 리 없다. 한편, 바깥에서 긴장하던 마음이 집에 돌아오며 확 풀어져서 편한 대로(습관적 방식으로) 생각하게 되는 경향도 있다.

모든 인간관계가 그렇듯, 편안하고 기분 좋은 상황이면 오해가 생겨도 금세 풀릴 수 있다. 그러나 일단 문제가 생기기 시작하면, 자기중심적이고 습관적인 마음 헤아리기만으로는 해결해 나가기 어렵다. 습관적인 마음 헤아리기로 인해 오히려 갈등이 중첩되고 심화될 수 있다.

가족과 비슷한 수준으로 자동적 마음 헤아리기를 하게 되는 관계는 또 있다. 연인이나 배우자와의 관계이다. 동료나 친구 관계와는 달리, 이러한 관계에서는 어린 시절부터 만들어져온 애착 습관이 그대로 드러난다. 재미있는 것은 연인과 배우자는 그 정도 면에서 완전히 다르다는 사실이다.

똑같이 습관적 방식으로 생각하더라도 연인 간에는 아직 조심하는 측면이 있다. '이렇게 하면 저 사람이 좋아할까'라는 마음을 가지고, 상대의 입장을 조금이라도 더 생각하면서 소통하려 한다. 그러던 두 사람이 날마다 함께하는 부부 사이가 되면, 결혼 전 가족들에게 적용했던 마음 헤아리기 습관으로 돌아가 버리고 만다.

신혼 초, 필자는 아내가 조금이라도 큰 소리를 내면 깜짝 놀라며 긴장하곤 했다. 자동적으로 '내가 뭘 잘못했지' 라는 생각이 들었는데, 나중에 곰곰이 생각해보니 어렸을 때 큰소리로 형을 혼내던 어머니에 대한 기억 때문에 아내를 무서워하고 있음을 알 수 있었다.

어린 시절 어머니가 형에게 호통을 치기 시작하면 마치 내가 혼나는 듯 무서웠다. 어머니에게 혼이 나지 않기 위해 애쓰는 바람에 어머니로부터 늘 '알아서 잘하는 아들'이라는 칭찬을 받았고, 그런 모습이 내 안에서 강화되어 있었다. 그런데 결혼 후 아내의 큰소리를 듣자 그때의 두려운 감정이 되살아났던 것이었다.

요즘은 경처가驚妻家라는 말로 그때의 나 자신을 재미있게 표현하기도 하지만, 당시에는 꽤나 심각한 문제였다. 정신과 2년 차 전공의 시절 교육분석을 받으면서 나를 분석해주던 스승님께 상담을 받기 시작할 때의 일이다. 선생님께서 "자네에게 요즘 가장 크게 닥친 문제가 무엇인가?"하고 묻자 "분명 사랑해서 결혼했는데 아내가 너무 무섭습니다"라고 대답했을 정도였다.

결혼 후 5년쯤 지나자, 놀라던 감정은 무뎌지고 아내의 기분이 나쁘거나 아내가 화나 있으면 눈치를 많이 보는 정도가 되었다. 경처가에서 공처가恐妻家로 변신한 것이다. 10년쯤 지나자 아내가 화를 내도 그다지 불안하지 않았다. 결혼 초에는 불안한 마음이 들 때면 과연 이 사람과 계속 살 수 있을까 하는 마음이 들었지만, 이제는 평생을 함께할 사람이라는 확신이 들며 비로소 안심이 되었다. 그제야 진정한 애처가愛妻家가 될 수 있었다.

그 무렵 아내에게 '결혼 초에 당신이 너무 무서워 계속 같이 살 수 있을지 걱정을 많이 했다. 그런데 이제는 무섭지 않고 당신이 진짜 사랑스러워서 계속 같이 살 수 있을 것 같아 안심이 된다'라고 고백했다. 그러자 아내는 내게 '의뭉스러운 남자'라며 그런 마음을 어떻게 한 번도 표현하지 않고 살았느냐고 깜짝 놀라는 모습이었다. 아내에 대한 이러한 감정 변화는 실상 어머니에 대한 그것과 거의 비슷함을 나중에서야 깨달았다.

어려서는 어머니가 너무나 무서웠고, 혼나지 않기 위해 애를 썼다. 조금씩 커감에 따라 어머니가 우리를 미워해서 화내는 것이 아니며, 다 잘되라고 하는 말씀임을 깨닫게 되었다. 그러나 약간의 반감도 있었다. 청소년기와 대학 시절에는 어머니의 그러한 감정 표현이 우리 형제를 어머니 뜻대로 조종하기 위한 것이라고 여겨졌기 때문이다. 요즘은 '어머니가 살아온 방식 때문에 그런 식으로밖에 사랑을 표현하지 못하셨구나'라는 것이 이해된다.

어머니에 대한 공포와 두려움이 사라지고, 오히려 자식에게 의지하는 어머니의 모습을 보며 안쓰러운 마음이 들기도 한다.

즉, 필자는 어릴 적의 감정 습관을 아내에게 그대로 반복하고 있었던 것이다. 이처럼 가족들 사이에서는 감정 습관이 반복되는 경향이 강하다.

아이에게 대물림되는 마음의 습관

아이가 생기면 많은 사람이 자신의 어린 시절을 생각하며, 그 시절을 기준으로 바람직하게 행동하기를 자녀에게 기대하는 경향이 있다. 그런데 이 기대란 대체로 채워지지 않는다. 기대대로 행동하지 않는 자녀들을 보며 부모는 화가 치밀어 오른다. '나는 어렸을 때 엄마 속 안 썩이고 말도 잘 들었는데, 얘는 누굴 닮아 이래' 또는 '나도 부모님 속을 썩이긴 했지만, 얘는 해도 해도 너무하잖아'라는 식으로 생각하는 것이다.

어머니가 형을 혼내는 모습이 너무나 무서웠기에, 나는 아이를 혼내며 키우고 싶지 않았다. 그러나 정작 부모가 되자 '당연히 이 정도는 할 것'이라는 내 기대를 아이가 충족시키지 못하면 몹시 화를 내게 되었다. 지금까지도 우리 아이에게 저지른 큰 실수로 기억되는 한 가지 일이 있다.

아이가 초등학교 2학년 무렵이었다. 구구단 외우기를 시키는데 2단을 외우면서 실수를 반복하는 것을 보고 화가 치밀어 올랐다. 어느 날 '이건 노력을 안 하는 거야!'라는 생각에 2단을 확실하게 외우도록 훈련 시킨다며 회초리를 들고 똑바로 외우라고 심하게 화를 냈다. 그때 크게 혼낸 것은 지금도 나의 뼈아픈 실수이다. 아이로 하여금 구구단을 공포스러운 것으로 각인시켜 버리는 작용을 했던 것이다.

시간이 흘러 아이가 6학년이 되었는데, 유독 수학 시험에서 실수를 많이 하는 모습을 보였다. 평상시에는 쉽게 풀던 문제도 시험에서는 실수를 많이 하니, 의아한 마음에 소아정신과 선배님에게 부탁하여 상담을 받았다. 아이에게서 주의력결핍이 관찰된다고 하여 집에서 가까운 소아정신과에서 치료를 받기 시작했다.

소아정신과 원장 선배님은 나와 아내에게 "엄마 아빠가 너무 진지해요. 너무 이성적으로만 생각하고, 아이의 감정을 충분히 공감해주지 못하고 있어요. 아이는 아직 때 묻지 않은 자유로운 마음을 가지고 있는데, 아이의 의도를 헤아려주지 못하고 '이렇게 해야 해'라는 것만 강조하다 보니 아이가 억눌리고 정서적으로 힘들어하는 것 같아요"라고 말해주었다. 그것이 아내와 내가 바뀌는 계기가 되었다. 아이에게 화를 많이 내지 않으려고 노력한 건 사실이지만, 아이의 눈높이에 맞추어 마음을 이해하고 함께 소통하는 데는 서툰 아빠였던 것이다.

요즘은 육아법에 대한 관심이 높아져서 '아이의 눈높이에서 생각하자'는 이야기가 여기저기서 나오며 익숙한 말이 되었다. 그러나 과연 우리 부모들은 얼마나 자녀들의 눈높이에 맞추어 생각하고, 아이들과 소통하려 노력하고 있을까.

갈등이 생기면 원래의 습관이나 생활 방식이 나오기 마련이다. 부모는 이 사실을 알고, 어린 시절 나의 부모가 나를 대했던 방식으로, 즉 습관적으로 아이를 상대하고 있지 않은지 생각해야 한다. 내가 아이의 마음에 상처 주는 방향으로 아이를 대하고 있지는 않은지를 항상 점검해야 하는 것이다. 이러한 감정과 행동 습관을 변화시키기 위해서는 자신이 겪었던 경험을 잘 돌아보고 인식해야 한다. 그래야 자녀의 마음에 상처 주는 습관을 대물림하는 것을 반복하지 않을 수 있다.

결혼하기 전에 꼭 살펴봐야 할 것들

연인이 배우자가 되면, 둘은 곧 가족이 된다. 이렇게 생겨난 새로운 가정은 부부 두 사람의 관계뿐 아니라, 자녀와의 관계로 확장되며 서로의 인생에 지대한 영향을 미치게 될 것이다.

한 부부의 결혼 생활을 서울에서 부산으로 가는 열차에 비유해 보자. 자녀가 태어나면서부터는 멈추고 쉴 곳이라고는 짧은 정차역밖에 없이, 계속 기차를 타고갈 수 밖에 없는 운명이라 할 것이다. 때문에 필자는 결혼할 상대가 생겼다면 반드시 자신의 상처와 상대의 상처, 자녀에게 대물림하기 쉬운 감정 습관(특히 상처로 인한 것)과 애착 유형을 확인하라고 권한다. 특히 자녀가 태어나기 전에 미리 살펴보고 인식하여 변화하려는 노력을 시작하면서 자녀와의 앞으로 펼쳐질 인생 여정을 출발하라고 말하고 싶다. 그래야 자신과 배우자의 왜곡되어 있는 감정 습관을 긍정적인 방향으로 바꿀 수 있다.

경제만 합쳐지는 것이 아니라, 마음도 합쳐지는 것이 결혼 생활이다. 서로의 상처를 알고, 특성을 이해하면 진정한 마음의 동반자, 인생의 파트너가 될 수 있다.

또한 자녀에게 물려주는 것은 유전자만이 아니라, 감정 습관도 포함된다는 것을 기억하자. 행복한 가정, 행복한 인생을 만들어가려면 내 아이에게 대물림되거나 악영향을 줄 수 있는 부정적 감정 습관과 애착 문제를 고치고 해결하려는 노력이 반드시 필요하다.

자신을 있는 그대로 마음 깊은 곳까지 들여다보고 돌볼 수 있을 때 상대의 마음도 함부로 판단하지 않고 상대의 입장에서 듣고 느끼는 능력이 커진다.
나 자신의 마음 상처와 고통으로부터 회복될 수 있을 때 상대와도 진정한 마음으로 소통할 수 있게 된다.
이제 그만 괜찮아질 수 있는 것이다.

PART 04

이제 그만 괜찮아지기

행복한 삶을 향해
한 걸음 더
나아갈 때이다

마음의 예방주사를 맞을 시간

마음의 상처를 극복하려면 살아오면서 좋았던 일들이나 사람들, 그리고 그와 연관된 경험과 느낌들을 기억 속에서 꺼내보는 것이 중요하다. 이것이 마음의 면역력을 높이는 일종의 예방주사 역할을 할 수 있다. 안 좋은 일이 생기더라도 그것을 극복할 힘이 되는 것이다.

자라는 동안 부모님에게 많이 혼나며 그로 인해 마음에 생채기가 났더라도 부모님과의 좋은 기억이 남아있다면, 그것이 결국 부모님과의 갈등을 봉합하고 극복하는 촉매제가 된다. "엄마 아빠 때문에 힘들었지만 돌이켜 보면 이런 좋은 기억도 있었어"라는 것이 마음 상처의 회복에 큰 도움이 될 수 있다.

앞서도 언급했듯, 회복탄력성을 높이기 위해서는 어린 시절 자신을 인정하고 존중해줬던 어른이 있었다는 기억과 그분과의 경험이 매우 소중하다. 꼭 부모님이 아니어도 괜찮다. 삼촌이나 이모, 고모, 할머니나 할아버지, 동네 아저씨나 형 등 누구라도 좋다. 한 사람이라도 자신을 인정해주고 "넌 괜찮은 아이야. 네가 그런 행동을 한 게 이해가 돼"라고 공감해준 사람이 있었다면 그에 관한 기억을 떠올릴 필요가 있다.

감정 은행에 긍정적인 감정을 저축해라

부부 치료, 부부 상담을 많이 하셨던 정신과 은사님이 어느 특강에서 하셨던 말씀이 있다.

"부부 상담에는 대개 갈등을 겪는 부부가 찾아오기 마련입니다. 그럴 경우 저는 지금의 갈등 상황을 다루기에 앞서서 그들이 어떻게 결혼했고, 어떤 시간을 보내왔는지 이야기를 들어보곤 합니다. 그 결과 좋은 기억이 많은 부부의 경우 어렵지 않게 해결책을 찾아 나가며 갈등을 해소하는 경향이 있다는 걸 알게 되었습니다. 그것이 일종의 감정 은행에 쌓아놓은 저축이 아니겠습니까. 돈을 은행에 저축하듯 살아가는 동안에 좋은 기억과 좋은 감정들을 차곡차곡 쌓아놓은 부부는 두 사람 사이에 위기를 겪거나 오해가 생겨도 쌓아둔 좋은 기억과 감정을 자산 삼아 상황을 잘 풀어나갑니다. 젊은이들은 연애에서 결혼까지 이어지는 과정에서 좋은 기억을 많이 쌓도록 노력해야 합니다. 이미 결혼하신 분들은 지금부터라도 좋은 경험과 기억을 쌓기 위한 노력을 시작해야 하고, 주변 젊은이들에게도 이런 이야기를 많이 해주십시오."

좋은 기억과 감정은 인간관계에서 받을 상처에 대한 예방주사 효과를 낼 수 있다.

또 한 가지 좋은 기억을 만들 수 있는 관계는 바로 친구 관계이다. 부모님이나 친척 어른과의 관계가 윗사람과 아랫사람의 관계라면, 부부나 친구는 수평적인 관계이다. 특히 오랜 시간 어릴 적부터 만나온 친구는 자신의 모든 걸 벌거벗고 보여줄 수 있는 아주 특별한 관계이다. 가족이나 부부 관계에서와는 또 다른 감정적 공감을 받을 수 있는 관계인 것이다.

얼마 전 친구로부터 카카오톡 메시지를 받았다. '울 수도 웃을 수도 없는 사십 대'라며 자신의 '시시포스' 같은 처지를 한탄하는 내용이었다.

'떠받치고 있는 바위는 무거운데 이걸 놓으면 그만 죽게 될 것 같구나. 그렇다고 밀고 올라가자니 더 이상은 무리다. 부모님은 하루가 다르게 연로해지시고, 암 투병 중인 아내의 몸은 이곳저곳 아파지는데 아이들은 점점 커서 들어가는 돈은 많아지고…. 이런 상황에서 내 나이도 벌써 사십 대 중반에, 과연 언제까지 일할 수 있을지.'

일상이 무너질까 걱정하며 살고 있는 우리나라 많은 사십 대 아버지들이 공감하는 문제일 것이다. 이런 문제는 아내나 가족들보다 친구로부터 공감을 받기가 훨씬 좋다. 가족이나 부부는 가장 긴밀한 관계이나 때로 자신을 힘겹게 만드는 책임의 대상이기도 하다. 그 때문에 마음속 부담감을 가족이나 배우자에게는 털어놓을 수 없다. 그것이 그들의 마음을 아프게 할 것임을 알기 때문이다. 이처럼 심적 부담감을 배우자나 다른 가족들에게 이야기하기가 저어될 때, 만나서 속내를 털어놓을 수 있는 상대가 바로 친구이다.

물론 1, 2년 만난 사이로 이런 공감대를 형성하기란 힘들다. 나의 전체 삶, 가족은 물론이고 나를 오랜 시간 괴롭혀온 문제들까지 대체로 알고 있는 오래된 친구라야 척하면 알아듣고 공감하는 것이 가능하다. 유안진 시인의 〈지란지교를 꿈꾸며〉에서 묘사되는 친구처럼 말이다.

저녁을 먹고 나면 허물없이 찾아가
차 한 잔을 마시고 싶다고 말할 수 있는
친구가 있었으면 좋겠다.
(중략)

사람이 자기 아내나 남편, 형제나 제 자식하고만
사랑을 나눈다면 어찌 행복해질 수 있으랴
영원이 없을수록 영원을 꿈꾸도록
서로 돕는 진실한 친구가 필요하리라

— 〈지란지교를 꿈꾸며〉 중에서

인정과 지지, 존중의 경험은 영혼의 건강을 위한 자양분

위에서 언급한 관계들의 공통점은 나 자신을 그대로 인정하고 내 마음을 공감하고 지지하면서 존중해준다는 것이다. 어떤 이야기가 됐든 우선 나의 입장에서 "그래, 네 맘이 정말 그랬겠다. 네가 생각하는 대로 나도 그렇게 느껴"라고 말하며 이해를 표해준다면 그것이 힘이 될 수 있다. 사람은 이러한 인정과 존중을 자양분 삼아 커나간다. 반대로 내 맘을 이해받고 싶은 가장 가까운 사람, 즉 부모나 가족, 친구, 배우자로부터 자신의 속마음을 이해받거나 인정받지 못했을 때 사람은 크게 상처받는다.

아이가 엄마의 말과 행동으로부터 세상에 대하여 하나씩 알아가듯 인간관계 가운데서 상대의 경험을 내 것으로 받아들일 수 있는 걸 '인식론적 신뢰Epistemic trust'라고 한다. '마음 헤아리기 치료mentalization based treatment'를 개발하여 발전시켜 나가고 있는 피터 포나기Peter Fonagy 런던대학교 교수는 인식론적 신뢰를 강조한다.

포나기 교수는 2010년 우리나라를 방문하여 인터뷰 중에 직접 펜을 들었다가 떨어뜨렸다. 그는 "인간은 펜을 떨어뜨리는 행동이 우연인지, 의도된 것인지를 알아채는 기본적인 능력을 갖고 있다"며 "엄마와의 애착이 바람직하게 형성될수록 이런 능력이 발달한다"고 말했다. (중략) 그렇지만 전 세계적으로 엄마들이 아이를 돌보기가 과거에 비해 많이 힘들어졌다고 말하는 포나기 교수는 아이의 안정된 애착 형성과 마음 헤아리기 능력 발달을 위해 엄마들이 "아이와 보낼 시간이 부족하더라도 아이의 욕구에 바로바로 반응하고, 감정을 이해해주면 된다"며 "엄마를 대신해 조부모, 아빠, 돌보미 같은 제3자가 안정적인 애착을 형성할 수도 있다"고 말했다.

— 〈동아일보〉 2010.12.18.

엄마와의 관계 속에서 애착이 잘 형성된 아이는 엄마의 반응이나, 행동, 감정, 마음과 생각을 그대로 수용한다. '엄마가 이런 마음이고 내 마음 상태는 이런 상태이구나'를 느끼고 '이럴 때는 이렇게 행동하면 되는구나'라고 파악하면서 인간관계를 맺는 방식을 배운다. 사람의 마음을 이해하고 사회적인 상황을 판단하는 방법을 배우기 시작하며, 살아가는 법을 학습하는 것이다. '이 상황은 위험하니까 빨리 엄마에게 가서 조심해야지' '이건 안전한 상황이니까 맘껏 놀아도 되는구나' 등의 위험과 안전에 대한 판단 또한 아이는 엄마의 반응을 통해서 배우게 된다.

이처럼 사람은 내 앞에 있는 사람과의 인간관계 속에서 세상을 경험하고 세상을 점점 알아나간다. 그리고 앞에 있는 사람과 나를 둘러싸고 있는 세상이 믿을 만한 곳, 자신을 지지하고 보호해주는 곳이라는 생각이 들 때 세상을 향해 마음이 열리고 탐색하고 싶은 마음이 커질 수 있다.

그런데 만약 내 앞에 있는 사람이 나를 상처 주고, 배신감을 느끼게 한다면 어떨까? 접하는 세상마다 모두 위험한 것투성이요, 안심할 수 없다. 세상에 대한 신뢰와 사람에 대한 신뢰가 점점 옅어진다. 점차 폐쇄적인 사람이 되어가며 위축되는 것이다.

'다른 사람은 몰라도 이 사람만은 믿을 수 있겠구나'라는 생각으로 서로 간 공감대가 넓어지고 상대의 의견이나 생각을 그대로 수용할 수 있으려면 인식론적 신뢰가 바탕이 되어야 한다. 인신론적 신뢰가 클수록 인간관계가 풍성해지고 세상을 긍정적으로 볼 수 있다.

반대로 인신론적 신뢰가 적을수록 성격적 문제가 많아지며 세상과 계속 갈등하게 된다. '왜 이렇게 살기 힘든가' '나는 왜 세상에 적응하지 못하는 걸까'라는 생각에 사로잡힌다.

이 모든 것이 생애초기의 애착관계, 그리고 마음 헤아리기 능력과 관계가 있다.

따라서 갈등이 생기기 전에 마음의 예방주사를 놓는 것이 중요하다. 기억을 더듬어 좋은 감정과 추억을 찾아내야 한다. 과거 좋은 기억이 충분하지 않다면, 지금부터의 삶 속에서라도 좋은 기억과 추억을 만들어가자. 당장 내가 먹고 싶은 음식을 챙겨 먹고 사소한 것부터 내가 원하는 걸 실천하면서, 특히 지금 내 곁에 있는 사람과 좋은 기억을 저축해나가는 것이 중요하다.

나 자신을 그대로 인정하고 내 마음을 공감하고
지지하면서 존중해주는 관계를 찾자.

좋은 기억과 경험을 찾고,
미래의 나에게 힘이 되어줄 좋은 경험을 저축함으로써
마음의 예방주사를 놓을 수 있다.

아픈 상처지만
외면할 수 없는 이유

화나거나 마음이 불편해지면 누구나 그 상황을 피하고 싶기 마련이다. 이때 자신도 모르게 습관적으로 회피해왔던 부분이 있는지 살펴보고 인식하는 것이 중요하다. 어쩌면 '내면 아이' 또는 '내 안의 또 다른 나'로부터 전달되어 오는 신호를 애써 회피하고 있었을지도 모르기 때문이다.

회피하는 이유는 대개 열등감을 자극받았거나, 수치스럽다고 생각하는 기억과 관계가 있어서이다. '이런 것이 알려지면 사람들이 나를 안 좋게 볼 거야'라고 생각해서 외면할 수 있다. 혹은 너무나 아프고 힘든 기억이라 그것을 떠올리면 감정에 압도된 나머지 다른 일을 할 수 없으므로 차라리 미리 피해버리는 것이 좋겠다고 판단했을지도 모른다. 이런 경험이 잦아지면 자신도 의식하지 못하는 사이 잠재의식 수준에서 회피하는 경향이 생기기도 한다.

영화 〈굿 윌 헌팅〉에는 여러 번의 입양과 파양을 경험하며 양부로부터 학대받는 어린 시절을 보낸 윌 헌팅(맷 데이먼 분)이란 주인공이 나온다. 제대로 된 돌봄을 받지 못한 채 성장한 윌 헌팅은 교육을 제대로 받지 못한 데다 감정 조절에도 어려움을 겪어 자주 싸움에 휘말린다. 그러나 MIT 대학의 청소부로 일하면서 MIT 학생 게시판에 제시된 어려운 수학문제를 풀어내는 천재성도 지니고 있다.

어느 날 윌은 집단 패싸움을 벌이다 체포되고, 자신이 낸 수학문제를 푼 학생을 찾던 램보 교수는 윌이 그 문제를 풀었다는 사실을 알게 된다. 램보 교수는 정신치료를 받는 조건으로 윌이 경찰서에서 나올 수 있도록 돕는다. 그리고 그를 숀(로빈 윌리엄스 분)에게 맡겨 정신치료를 받도록 한다.

이 영화 속 윌의 대인관계에는 특징이 있다. 정신치료자를 계속 실망시키며 바꾸고, 여자친구와 가까워지다가도 그녀가 과거에 대해서 물으면 불같이 화를 내기 시작한다. 부모님은 뭘 하시고 어디서 살았는지 같은 평범한 질문이 윌에게는 마음을 닫아거는 도화선이 되는 것이다. 심리치료사 숀은

윌에게 그가 그토록 노출시키기 싫어했던 과거 기억에 대해 "네 잘못이 아니야"라고 반복해서 말해준다. 숀이 "네 잘못이 아니야"라고 말하자 윌은 처음에는 "나도 알아요"라며 외면하려 한다. 치료자가 계속 잘못이 아니라는 말을 반복하자 화를 내기까지 하던 윌이 결국에는 흐느껴 울며 숀에게 안기는 장면은 이 영화의 명장면이다.

사랑하는 여자친구에게조차 보여주기 싫었던 기억과 감정, 그것은 남 앞에서 꺼내기 두렵고 스스로 들춰내기 힘든 것이었다. 그것이 자신의 문제가 아니며 그로 인해 상처받았다는 것을 제대로 이해하게 되는 과정 그 자체가 치유와 치료의 과정임을 영화 〈굿 윌 헌팅〉은 보여준다.

이러한 치유는 비단 영화뿐 아니라 우리 삶 속에서도 충분히 가능하다. 치료자와 함께해나갈 수도 있고, 스스로 깨달아갈 수도 있다.

필자가 아는 지인 중 한 명은 사랑하는 사람으로부터 "사랑해"라는 말을 들으면 마음이 굉장히 불편해진다고 했다. 보통의 연인관계에서는 한쪽이 사랑한다고 말하면 다른 한쪽에서도 같은 말이 되돌아오기 마련이다. 그런데 이 사람은 분명 사랑하는 상대인데도 그로부터 '사랑한다'는 말을 들으면 가식적이란 느낌이 들고, '저 사람이 이런 찝찝한 말을 왜 하지?'라는 의심까지 들었다고 한다. 대화를 하며 그러한 감정의 뿌리를 찾아가 보았다.

"우리 할머니는 항상 '내가 너를 얼마나 사랑하는지 몰라, 얼마나 사랑하면서 키웠는데'라고 말씀하세요. 본인은 그렇게 생각할지 모르지만, 자라면서 다 보이잖아요. 우리 할머니가 어떤 사람인지. 엄마를 얼마나 괴롭혔는지 몰라요. 고부 갈등으로 부모님은 결국 이혼하셨어요. 그 과정에서 '내가 너를 사랑해서'라고 말하는 할머니로부터 이중성을 느꼈어요. 말로는 사랑한다고 하지만 보이는 행동은 달랐거든요. 가족 모두를 사랑이란 미명하에 힘들게 만들었죠."

'내가 너를 얼마나 사랑하는데 네가 나한테 이러면 안 된다'라는 말을 입에 달고 사는 할머니 덕분에 '사랑'이란 단어를 들으면 부정적 감정이 더 강하게 느껴졌던 것이다. 부정적 감정에 압도되다 보니 다른 사람이 그 말을 들려줘도 의미를 충분히 느끼지 못하거나, 회피하거나 오해하게 되는 왜곡이 발생했다. 자신에게 이런 왜곡이나 회피 경향이 있는지를 살펴보는 것 역시 상처와 마주하는 방법이다.

그대로 바라보되, 한 발짝 떨어져서

마음속 깊은 데서 솟아올라오는 고통, 불편함이 있다면 그 순간 자신의 상태를 인식하면서 거리를 두고 한 발짝 떨어져서 그 고통을 바라보려고 노력해야 한다. 어떤 계기로 인해 갑자기 불안하고 무서워지고 화나기도 하고 슬퍼지거나 죽고 싶은 마음이 들 수 있다. 그럴 때 잊어버리기 위해 술을 마시거나 폭발하듯 화내거나 차로 내달리는 게 아니라, 그대로 그 감정을 인식하면서 한 발짝 떨어져 바라보는 것이다. 어쩌면 어릴 적 느꼈던 부정적 감정, 공포나 두려움이 되살아날지도 모른다.

그러나 지금의 나는 무방비상태로 무기력하게 당할 수밖에 없었던 어린 시절의 내가 아니다. 그때만큼 불안하거나 무서워할 만한 상황이 아니라, 비슷한 감정이 느껴졌을 뿐이다. 마음속을 살펴보며 계속해서 떠오르는 생각과 기억을 거슬러 올라가다 보면, 어린 시절의 상처 때문에 지금 이 순간 고통스러운 감정을 느끼고 있다는 걸 인지하게 된다. 그러면 그때부터 고통의 강도가 약해진다.

감정을 그대로 인식한다는 것은 어떤 것일까?

화가 나 있으면 '아! 내가 화가 나 있구나'라고 생각하면 된다. '슬퍼서 살고 싶지 않다'는 생각이 든다면 곧이어 '아, 내 마음속에 이런 생각이 올라오고 있구나'라고 파악한다. 다른 사람의 감정을 대하듯, 나 자신의 감정으로부터 거리를 두고 바라보는 것이다.

화나는 순간, 슬퍼지는 순간 내 심장은 어떻게 뛰고 내 코와 입으로는 어떻게 숨이 들어오고 나가는지 눈을 감고 느껴보자. 마음속에 흘러가는 생각이나 느낌, 감정, 신체 반응을 있는 그대로 받아들이고 느끼는 것이다. 이것이 마음챙김으로, 자신을 무비판적으로 수용함으로써 아픈 상처와 마주하는 방법이다.

내면의 어린 나와 소통하는 연습

앞서 길거리에서 울고 있는 어린아이를 보았을 때의 대처에 관해 언급했었다(106페이지 참고). 아이의 울음소리가 절실하게 느껴진 어른이라면 아이에게 다가가서 우는 이유를 물어보고 도와주려 하는 마음이 생기는 것이 인지상정이다. 마찬가지로 내 마음속에 어린 시절의 기억으로 고통스러워하는 어린 내가 있다면 그 아이를 잘 살펴보아야 한다. 왜 이렇게 고통스러워하는 것인지, 힘든 이유가 무엇인지 물어봐야 한다.

방법은 다양하다. 혼자 일기를 쓸 수도, 사색이나 묵상을 할 수도 있다. 수필을 쓰거나, 상담자와 대화하는 것도 좋다. '그런 어린 시절의 기억 때문에 이 순간 이처럼 고통스럽구나'라고 자신과 소통하는 연습을 하다 보면 회피하고 있던 감정이나 기억을 정면으로 바라볼 수 있게 된다.

자신과의 소통이 가능해지면 같이 듣고 공감해줄 사람으로 소통의 범위를 넓혀갈 필요가 있다. 배우자도 좋고 친구도 좋다. 동료나 가족, 멘토, 스승과 허심탄회하게 이야기해 볼 수도 있다. 누구든 정말 믿을 만한 상대와 소통을 시작해야 한다. 좀 더 전문적으로 치료할 필요가 느껴진다면 자신을 도와줄 치료자를 만나 이야기를 나눠 보자. 동료나 가족과는 또 다른 차원의 공감과 지지를 받고 자신에 대한 이해를 넓혀갈 수 있으므로 큰 도움을 받을 수 있을 것이다.

이 과정에서 공통적으로 무엇보다 중요한 것은, 자신을 제대로 위로해주는 것이다. 어떤 상처든 그로 인해 가장 힘든 것은 나 자신이기 때문이다. '참 고생했어. 수고가 많았고, 그럼에도 잘 살아왔어'라고 자신을 토닥여주자. '이제 그만 아파하고 진짜 원하는 걸 찾아가자'고 말해주는 것이다. 이처럼 스스로 힘들게 살아왔음을 깨닫고 자신을 위로하고 인식하는 것이 진짜 치유의 과정이다.

말처럼 쉽지는 않다. 트라우마가 심각할수록 그렇다. 보통 사람이라면 이런 과정에서 가슴 찡함을 느끼며 스스로 안타까운 감정이 들고 위로하기까지 그리 오랜 시간이 걸리지 않는다. 그러나 경계성인격장애를 앓고 있는 환자들처럼 상처가 많은 사람들에게는 긴 시간과 노력이 필요하다.

관계의 상처는 관계로 치유된다

마음의 상처는 많은 경우 관계의 상처와 연관된다. 물론 전쟁이나 가난, 재난 등 사회적 문제나 자연적인 문제로 인해 트라우마를 얻을 수도 있다(과거 일본강점기와 한국전쟁을 경험한 우리 윗세대가 그러했듯이). 그러나 오늘날 우리나라 현실에서는 관계의 상처가 가장 크게 작용하는 것 같다. 인간관계로 인해 받은 상처는 결국 인간관계를 통해 회복해 나가야 한다.

여기서도 가장 중요한 것은 자신에 대한 인정과 수용이다. 부모님이나 친척 등 타인들로부터 받은 인정이나 사랑이 바탕이 된다. 어린 시절 한 번쯤 들어 보았을 말들, "얘가 그래도 이거 하나는 잘 해요" "그래도 착해서 잘 살

거예요" 같은 말들이 알게 모르게 힘이 되어준다.

필자에게는 스승으로부터 받은 인정의 기억들이 그렇다. 초등학교 2학년 때 담임 선생님이 필자를 무척이나 예뻐하셨다. 그 선생님과 관련해 지금까지도 잊히지 않는 기억이 있다.

어느 날 저녁 시간 골목에서 놀다가 퇴근하는 선생님과 마주쳤다. 한잔하신 듯 불콰한 얼굴로 "어이구, 우리 정호가 여기 있네!"라며 기분 좋게 안아주시더니 서점으로 데려가 시집 한 권을 사주셨다.

"선물이니 잘 읽어 보아라."

웃으면서 시집을 건네주시던 선생님의 모습을 잊을 수 없다. 당시 선생님으로서는 잠깐의 호의를 베푼 것인지 모르나, 필자에게는 오랫동안 좋은 기억으로 남아있다.

대학 이후로는 정신과 4년 차 때, 필자를 비롯한 제자들과 함께한 자리에서 교수님이 "잘해봐라, 너 같은 녀석은 잘될 거다"라며 토닥여주셨던 기억이 때때로 떠올라 마음이 따뜻해지곤 한다. 이런 기억들이 (기억 속 주인공들과 전혀 상관없는 사람과의 인간관계에서조차도) 인간관계를 좋게 만드는 바탕이 된다.

친구, 연인, 선후배 등으로부터의 사랑 또한 좋은 관계를 만들어나가는 주춧돌이다.

내게는 초등학교 6학년 시절 만나 지금까지도 일 년에 서너 번씩은 만나는 친구 일곱 명이 있다. 우리끼리 그 모임을 '신우회'라 이름 붙였다. '서로 믿을 수 있는 친구들의 모임'이라는 뜻이다. 그 시절 무슨 조건을 보고 친구가 되었겠는가. 우연히 만난 인연이 이어져 오랫동안 우정이 쌓이면서 다져진 관계인데, 이러한 관계가 서로에게 더 없이 힘이 되고 있다.

공감과 인정을 베풀어라

당신은 그 누군가, 당신 주변 중요한 사람의 삶을 구하고 마음의 언덕이 되어줄 수 있는 존재이다. 그러기 위해서는 공감과 인정을 베풀 줄 알아야 한다. 누군가로부터 인정과 지지를 받는 것만큼이나, 누군가에게 그것을 주는 것 또한 필요하다.

전공의 시절, 정신분석 치료를 꾸준히 하고 계신 선배이자 스승으로부터 정신치료를 받았을 때의 일이다. 무슨 이야기를 해도 항상 귀를 기울여 진지하게 들어주는 자세에 감명받았다. 그런 경험은 필자로서도 처음이었다. 처음에는 '이런 이야기를 해도 되는구나' '이런 이야기를 해도 부끄러워 할 필요도 없고 이상한 취급을 받지 않네?'라는 생각에 생경한 기분이 들었다. 조금 지나자 무슨 이야기를 해도 열심히 들어주는 치료자에게 어떤 이야기든 편안하게 말할 수 있게 되었다. 그 당시 때론 긴장하며 이야기하다가 긴장이 풀리고 편안해지면서 느꼈던 공감과 인정이 지금의 내가 되는 데 큰 힘이 되었다.

요즘은 아내로부터도 그런 감정을 느끼고 있다. 아내와 마주 앉아 이런 저런 고민을 토로하다 보면 "그래도 당신은 이런 부분에서는 잘하고 있어"라고 말해주거나 나의 고민에 공감해주는 데서 위로를 얻는다. 꼭 전문적인 치료자가 아니더라도 부부나 친구 사이에서도 가능한 것이다. 어떤 이야기를 듣든 판단하거나 심판하려 하지 말고 공감하고 인정하고 지지해주면 된다. 이론적으로는 간단하지만 실천하기에 그렇게 쉽진 않다. 무엇보다도 상대에게 귀를 열고 마음을 다해 경청하는 자세가 중요하다.

사실 지금 필자가 근무하는 종합병원에서의 외래치료는 이런 면에서 한계가 있다. 제한된 시간에 많은 환자를 만나야 하기 때문에 치료자로서도 충분히 들을 마음의 여유가 없다. 나를 찾아온 환자들에게 제한된 시간 안에 상담을 마무리해야 한다고 말하면서도 마음이 불편하고 미안하다. 환자

또한 말하고 들어주는 치료에 익숙하지 않으니 빨리 증상을 말하고 약만 받아가려 하지 속 깊은 이야기는 하지 않으려 한다. "자세한 이야기는 하기 싫어요"라거나 "내가 왜 그런 것까지 이야기해야 돼요" "선생님이 그런 걸 알아서 뭐하시게요"라는 반응을 들을 때면 힘이 빠진다. 치료 과정에서도 깊고 넉넉한 관계가 형성될 수 있으며, 큰 도움이 되기도 하는데 표면적인 상담에 그칠 수밖에 없어 안타까울 뿐이다.

인격이 인생을 만든다

세상 많은 사람 가운데서도 내가 공감과 인정을 베풀어줘야 할 가장 중요한 대상, 가장 첫 번째 대상은 바로 '나 자신'이다.

세상에 태어나기도 혼자요, 갈 때도 혼자다. 태어나서 죽는 순간까지 내가 가장 사랑해야 하는 존재는 세상에 하나뿐인 오직 나 자신이다. 스스로 위로하고, 돌보고, 사랑해줄 의무가 있다.

이것이 왜 중요한가? 내가 나를 진정 수용하고 사랑하기 시작하면 다른 사람을 사랑할 수 있게 된다. 결국 자신과 타자, 자신과 세상, 자신과 타인과의 연결이 공고해지고 제대로 관계 맺을 수 있을 때 그 사람은 비로소 성숙한 사람이 된다. (이에 관해서는 뒤에서 더 자세히 이야기하겠다.)

워싱턴대학교의 로버트 클로닝거 교수는 인격에 관한 본인만의 독특한 이론을 펼친 정신의학자이다. 여러 인격 이론이 있으나 클로닝거 교수의 인격 이론이 마음 헤아리기와 연결되는 부분이 많기에, 여기서 잠깐 언급하고자 한다.

그에 따르면 인격이란 기질적인 부분과 성격적인 부분으로 구성되는데, 기질은 네 가지 요인, 성격은 세 가지 요인으로 나뉜다. 기질 요인은 나이가 들더라도 잘 변하지 않는 부분으로 자극 추구, 위험 회피, 보상의존성, 인내력 등이 있다. 성격 요인은 나이 듦에 따라 변화하며 성숙할 수 있는 부분으로 자율성, 연대성, 자기초월성 등이 있다. 즉, 사람의 인격에는 변하기 힘든 부분과 변화시킬 수 있는 부분이 있는 것이다.

다음은 성 프란체스코의 기도문 가운데서 인용한 것이다.

주님! 제가 변화시킬 수 없는 것은
그것을 받아들일 수 있는 평화로운 마음을 주시고,
제가 변화시킬 수 있는 일을 위해서는
그것에 도전하는 용기를 주시며,

또한 이 둘을 구분할 수 있는 지혜를 주소서!

클로닝거 박사의 인격 이론에서 기질이라는 것은 뇌의 생물학적 특징과 연관성이 높고 무의식적이며 습관적인 경향이 강하다. 이처럼 기질은 변하기 어려우므로, 우리는 삶의 다양한 경험을 통해 성격 요인을 보다 성숙한 방향으로 변화시켜야 한다.

먼저 변화할 수 있는 부분과 변하기 힘든 부분을 구분할 수 있어야 할 것이다. 변화시킬 수 없는 부분은 자신의 개성으로 받아들여야 마음의 평화를 찾을 수 있다. 변화시킬 수 있는 인격의 부분이라면 성숙한 방향으로 나아가기 위해 노력해야 한다.

기질의 네 가지 요인

기질적 요인과 성격적 요인에 관해 조금 더 살펴보자. (기질적 요인 중 세 가지는 '들어가기에 앞서'에서 언급한 〈인사이드 아웃〉의 감정 캐릭터들과 연결시킴으로써 좀 더 용이하게 이해할 수 있을 듯하다.) 다음은 기질의 네 가지 요인이다.

● **자극 추구**(Novelty Seeking) / 기쁨이

새로움을 추구하는 경향으로, 호기심이나 즐거움을 추구한다. 새로운 것을 경험하거나 즐거운 일을 찾아서 재미를 느끼는 등 새로운 자극이나 즐거움을 느낄 만한 단서에 이끌리면서 그런 쪽으로 행동이 활성화되는 경향이다. 얼리어댑터라고 불리며 새로운 제품이 나오면 가장 먼저 사고 싶어 하는 사람들이 자극 추구 성향이 높은 개성을 가진 이들이다. 사업가라면 대박을 칠 수도 있지만 망하기도 쉬운 개성이다.

● **위험 회피**(Harm Avoidance) / 소심이

겁이 많고 불안해하면서 예민한 성향이다. 위험하거나 혐오스럽거나 벌을 받을 수 있거나 상처를 받을 만한 자극을 접하는 데 강한 부정적 감정을 느끼며 행동을 억제하는 경향이 있다. 위험 회피 성향이 강한 사람은 선물옵션 주식투자와 같은 위험한 성향의 재테크보다는 작은 이익이라도 안전성이 높은 자산에 투자하는 경향을 보인다. 위험 회피 성향이 강한 사업가는 쉽게 망하지 않지만, 그렇다고 아주 큰 수익을 내거나 획기적인 사업을 만들지는 않는다.

● **사회적 민감성**(Reward Dependance) / 버럭이, 까칠이

보상의존성은 사회적 민감성과 관련이 있다. 이 경향이 강한 사람은 상대의 반응에 예민하게 반응하고 인정이 많으며 사교적이고 헌신적인 편이다. 상대로부터 오는 자극, 상대의 표정이나 감정 변화, 칭찬이나 비판 등에 민감한 경향이 있다. 다른 사람의 눈치를 많이 보고 그에 따라 성과와 감정의 기복이 큰 편으로, 사회적으로 바람직한 삶을 살려는 경향이 강한 것이 장점이다. 그러나 창의적이거나 개혁적인 경향은 강하지 않은 편이다.

초기 연구에서는 위의 세 가지 기질 요인만 있는 줄 알았다가 마지막으로 하나가 더 추가되었다.

● **인내력**(Persistence)

꾸준함이나 일관성이라고 볼 수 있다. 칭찬을 받거나 보상을 받는 자극이 한 번 주어지면 그게 없어진 뒤에도 그 상태의 행동이 일정 시간 유지되는 경향이 있다. 이러한 경향이 큰 사람들은 보통 성실하다고 표현되며, 좌절과 피로에도 불구하고 꾸준히 노력하며 한 가지에 관해 일관성을 가지고 유지해 나가는 경향이 강하다. 이 경향이 지나치면 필요 이상

자기 자신을 몰아붙이는 완벽주의나 일 중독에 빠질 수 있고, 변화의 시점이나 기회를 놓칠 수도 있다.

이러한 기질 요인은 사람마다 하나씩 가지는 것이 아니다. 한 사람의 기질 특성에 네 가지 기질 요인이 혼재해 있다. 예를 들어, 어떤 사람은 '자극추구'가 상위 1%에 해당될 정도로 높은데, 상대되는 '위험 회피' 기질 또한 50%에 가까운 높은 프로파일을 나타내기도 한다. 이를 측정할 수 있는 기질 성격 검사라는 검사 도구가 있으니 기회가 되면 확인해 보는 것도 좋겠다.

앞서 말했듯이 기질은 타고나는 부분이 크다. 내가 가진 기질의 좋고 나쁨을 판단하는 것이 아니라 '내게는 이런 기질이 있구나'라고 그대로 받아들이는 지혜가 필요하다.

성격의 세 가지 요인

중요한 것은 성격 요인이다. 성격 요인은 변화할 수 있는 부분이므로 성숙한 방향으로 발달하기 위한 노력이 필요하다. 성격 요인은 기질적 바탕에서 환경과 상호작용하면서 변화해 나가기 시작한다. 그렇게 시대적, 문화적 학습을 거쳐 일생 동안 발달하는 것이다.

● **자율성(Self-Directness)**

자기가 원하는 목표와 가치를 정확하게 인식하고 그것을 위해 행동을 통제하고 조절하고 적응해 가는 경향이다. 내가 세운 삶의 방향이 좋은 방향이며 그 방향을 유지할 때 나의 삶이 잘 진행될 것이라고 믿고 살아간다.

자율성이 강한 사람들은 소위 '혼자서도 잘하는 사람'이 대부분이다. 자기 관리가 철저한 사람으로 특정 분야에서 스스로 실력을 향상시키는 스타일이다. 단, 공부를 잘한다고 해서 모두 자율성이 높은 것은 아니다. 요즘은 과보호에 의해 자신이 진짜 원하는 목표가 무엇인지도 모르는 채로 부모가 심어준 가치에 따라 자라나는 아이들이 많다. 이 경우 성과가 높다고 해서, 즉 성적이 좋다고 해서 자율성이 높다고 볼 수는 없다. 지덕체智德體 이론에 연결시키면 '체'에 가깝다고 하겠다. 자신을 관리하는 측면에서 '체'의 독립성과 연관이 높기 때문이다.

- **연대성(Cooperativeness)**

자신 또한 인류와 사회의 한 구성원이라는 생각으로, 자신과 사회를 이해하면서 동일시하는 경향이다. 타인에 대한 수용과 공감능력, 소통과 협력의 능력에 있어서 개인 차이를 보인다.
연대성은 다른 사람을 늘 생각하며 수용하고 함께 협력해 나가는 것으로, 지덕체 가운데서는 '지'와 연관된다.

- **자기초월성(Self Transcendence)**

자신이 우주 만물의 한 부분임을 이해하면서 자연, 절대적인 것과 동일시하는 경향이다. 영성적 측면이 포함된 성격 요인이다.
자기초월성은 인간사회를 넘어서 우주 만물, 자연, 절대 진리에 관한 광범위하고도 고차원적인 개념을 포함한다. 우주 만물과 자연의 이치를 이해하며 그것을 수용하고, 그에 일치해 나가는 능력으로 지덕체 가운데서는 '덕'으로 표현할 수 있다.

그런데 현대인에게는 자율성과 연대성은 강조되는 반면 자기초월성은 간과되는 경향이 있다. 우주와 신에 관한 이야기, 자연과의 일치 같은 말은 눈에 보이지 않는 뜬구름 잡는 소리처럼 들리기도 한다. 종교와 자기초월성을 혼동하는 사람도 많다.

자기초월성은 각각의 믿음 체계와 교리를 가지고 있는 종교와는 달리, 인간이 본래 가지고 있는 본성으로서의 영성적 특성을 가진 성격 요인이다. 나만이 아닌 내 주위와 연결되어 하나가 되기를 원하는 것은 인간이 원초적으로 가지고 있는 특징이다. 현대에 이르러 합리적인 것, 과학적인 것, 그리고 눈에 보이고 손에 잡히는 것들에만 관심이 높아진 나머지 홀대받고 있을 뿐이다. 즉, 현대인들에게 있어 특히 발달이 결핍되어 있는 인격 요인이 영성, 즉 자기초월성의 영역인 것이다.

행복한 삶을 위해서는 이 세 가지 성격 요인이 골고루 발달해야만 한다. 그래야 당사자는 물론이고, 주변 사람들의 삶까지도 풍성해질 수 있다.

너와 나, 우리 모두가 행복하기 위해 필요한 것

현대사회에서는 이상적인 인간상으로 지와 체를 굉장히 강조한다.

자기 관리를 잘해야 하고, 몸도 건강하게 유지해야 하며, 돈도 잘 벌어야 하고, 공부도 많이 해야 한다. 외모, 학력, 몸매, 재력 같은 것들이 강조되는데 이는 모두 개인적인 것으로 지덕체 중 체(자율성)와 관련 있는 것이다.

여기서 한 걸음 나아가면 지혜가 요구된다. 타인과 어울려 사는 지혜, 세상이 돌아가는 방식에 대해 알고 나 이외의 존재들과 연대하는 현명함이 필요하다. 여기까지는 누구나 동의할 것이다.

그런데 덕의 차원으로 들어가면 많은 사람이 "영성이라니, 너무 종교적인

이야기 아닌가요?"라며 고개를 갸우뚱거린다. 영성을 잃은 것은 자연과학이 지나치게 발달한 현대사회가 치르고 있는 대가이다.

멀지 않은 50년 전만 해도 사람들은 하늘을 보고 우주를 궁금해 하며 그곳에 대한 경외심을 키웠었다. 그러나 오늘날 우리는 우주를 보며 완전히 다른 생각을 한다. 어떻게 금성에 가고 화성에 갈지, 우주정거장을 세워 우주를 정복하고 지구의 대체물로 사용할 행성을 찾을 수 있을지 고민하는 것이다. 철저히 사용주의적인 관점이다.

최근 자연과 환경에 대한 관심이 높아져 에코 테크놀러지가 관심을 끌고 있지만 우리가 사는 지구 환경을 보전하며 더불어 살 것인가, 공생할 것인가에 대한 고민이 대세는 아닌 것 같다. 오히려 대부분의 사람들은 아직도 우리 삶을 편리하게 만들기 위해 어디를 어떻게 개발할 것인가에만 혈안이 되어 있다. 그것도 모자라 '지구는 이미 병들 정도로 썼으니 인류가 사용할 만한 다른 곳을 찾아보자'는 생각에까지 이른 것이다.

이처럼 우리의 사고는 '분리'되고 있다. 내가 사는 현실과 마음속 세계가 분리되고 있고, 나와 우주가 분리되고 있다. '나 또한 우주의 티끌 중 하나'라는 소박한 진리에 대한 인식은 희미해진 지 오래다. 사람들은 같아지기보다는 달라지기를 모색한다. 공통점을 찾기보다는 차이점을 찾고, '난 저들과 달라'라며 선을 그어 그 안에 자신을 가둬놓는다. 경쟁 속에서의 생존이 강조되다 보니 함께 행복한 것보다는 자신의 행복을 더 중요하게 여긴다.

다름이 지나치게 강조되고 있다

현대사회는 아주 어린 시절부터 '구별'을 학습하게 하는 경향이 있다. 학창 시절을 떠올려도 차이점을 배우고, 다른 것을 구분해내는 방법을 배우지 않던가. 혹자는 다양성의 중요성을 말하며 반박할 것이다. 다양성은 물론 존중되어야 한다. 그러나 같은 것보다 다른 것이 더 중요하다고 생각한다면 오산이다.

같음을 이해하는 것은 다름을 이해하는 것만큼이나 중요하다. 간단한 예로, 사람들이 저마다 사회적 약자들과 나의 공통점을 찾는다면 차별이나 미움, 오해가 수그러들 것이다. 인간과 동물 간의 공통점을 더 중요시한다면 불법적 수렵이나 동물 학대가 줄어들 것이요, 나아가 이 자연과 나의 같음을 알게 되면 지구를 함부로 사용하지 못할 것이다. 이처럼 같음은 너그러움을 낳고, 공감을 일으키며, 깊은 이해와 고차원적인 인식으로 우리를 나아가게 한다.

지구상에 인간과 가장 닮은 생명체가 있다면 단연 침팬지를 들 수 있다. 99.8%의 유전자가 일치한다는 침팬지는 외모만이 아니라 습성 또한 놀라울 만치 인간을 닮았다. 어린아이 수준의 지능도 있으며 감정을 표현할 줄 안다. 이런 침팬지조차 인간에게는 한낱 물건에 지나지 않게 거래되고 사용되니, 이는 '인간(나)이 아닌 존재'를 분리하기에 나올 수 있는 잔인함이다. 〈혹성탈출〉은 이런 인간의 태도가 불러일으킬 수 있는 비극을 상상한 SF영화이다.

알츠하이머 치료약을 연구하는 제약회사에서 실험용 침팬지가 난동을 일으켜 사살당한다. 사살당한 침팬지가 실험실에 몰래 새끼를 낳은 것을 안 과학자 윌은 새끼 침팬지에게 '시저'란 이름을 붙여주고 몰래 집으로 데려와 키운다. 어미의 뱃속에서 알츠하이머 치료제의 영향을 받은 시저는 커갈수록 놀라운 지능을 보이고, 나아가 자신의 정체성을 고민하기 시작하는데….

영화 속 시저는 입으로 말을 못할 뿐(영화 말미에 가면 치료제를 더 투여받아 말도 할 수 있게 되지만) 수화를 통해 자신의 의사를 전달한다. 시저는 지성뿐 아니라 영성도 갖춘 존재로 인간과 다름없다. 그런 시저를, 가족들 외에 다른 사람들은 하나같이 학대하거나 사용하려 할 뿐이다. '인간이 아닌 존재'라 구분 지어졌기 때문이다. 실제로도 영장류는 제약 실험용 동물 중 하나이니, 그런 점에 착안하여 영화적 상상력을 발휘한 것이다.

영화 속 '시저'는 침팬지뿐 아니라 '나와 다른 모든 것'의 은유로 읽을 수 있다. 장애인, 이성, 아이나 노인, 외국인, 빈민, 난민 등 '다름'을 구획 짓다 만들어진 수많은 '시저'가 이미 우리 주변에 존재한다.

그중에서도 극명하게 드러나는 것은 빈부의 격차이다. 같은 시대, 같은 땅 위에 사는 사람끼리도 단지 돈이 더 있고 없고의 차이로 서로를 분리한다. 빈부의 차이가 '종류가 다른' 사람을 만들어내는 것이다. 빈부 차가 날이 갈수록 커지는 가운데, 우리는 비만 인구집단과 기아 인구집단의 비율이 함께 늘어나는 아이러니한 시대를 살고 있다. 아마도 인류가 출현한 이래 전무후무한 시대이지 싶다.

현대사회가 만들어 놓은 동굴 밖으로 나오기

이처럼 영성이 메마른 시대에 가짜 영성이 판을 치고 있다. 현실에 기반

하지 않은 영성, 사람들의 혐오감이나 절망감, 헛된 기대나 환상을 먹이 삼아 몸집을 불리는 것이 가짜 영성의 특징이다. 1995년 휴거론으로 세상을 떠들썩하게 했던 다미 선교회, 유병언의 구원파 등이 대표적이다. 그들은 현실과 완전히 동떨어진 가짜 영성 세계를 만들어서 사람들을 현혹한다.

사이비 종교뿐 아니라 기존 종교도 영성이 아닌 이익을 추구하는 순간 가짜 영성의 늪에 빠질 수 있다. 지나친 유대민족주의, ISIS 등은 종교의 이름을 빌렸으나 영성과는 거리가 멀다.

오히려 영성은 불교, 기독, 이슬람교 등의 종교를 초월하여 존재하는 절대적인 진리에 가깝다.

현대인은 인간 또한 자연과 우주와 하나라는 인식 안에서 조화로운 삶의 방식을 고민해야 한다. 이것은 가치의 문제일 뿐 아니라 생존의 문제이기도 하다. 탄소 사용량을 늘려온 인류가 지구생태계에 미친 영향은 매우 심각한 수준에 있다. 이대로 지구온난화가 진행될 경우 인류는 지구에서 생존할 수 없을 것이며 그 시기가 머지않았다는 과학자들의 연구보고가 이어지고 있다. 탄소사용량을 줄임으로써 자연환경을 보전하고, 지속 가능한 사회를 만드는 것은 이제 전 인류 모두가 함께 풀어야 할 가장 큰 숙제가 되었다.

플라톤의 '동굴의 비유'를 한 번쯤 들어보았을 것이다. 사슬에 묶인 죄수들은 어린 시절부터 지하동굴 안에 머무르며 한쪽 벽면만을 바라볼 수 있다. 뒤돌아볼 수 없는 그들의 머리 위쪽, 아득한 입구 근처에는 불꽃이 일렁이고, 간수들이 그림자를 만들어내고 있다. 지하동굴의 죄수들은 그 그림자를 '실체'라고 생각하고, 동굴 속이 세상이라 착각하며 살아간다. 사슬을 풀고 동굴 밖으로 나가면 햇빛과 너른 자연이 그들을 기다리고 있는데도 말이다.

인성이 메마른 사회, 영성을 무시하는 사회에서 우리는 우리의 내면에 영성이 없다고 착각하고 살고 있다. 그러나 인류의 내면에는 삶에 진정한 충만을 가져다줄 영성이 잠재하고 있다. 이를 깨우기 위해서는 현대사회가 만들어놓은 동굴 속을 벗어나 깨치고 나오려는 시도가 필요하다.

지덕체의 삶을 이룩하기 위하여

클로닝거 박사는 그의 책 《Feeling Good》에서 가장 이상적인 성격으로 창조적 성격creative personality을 꼽으며, 이를 위해서는 위에서 언급한 성격의 세 가지 요인이 모두 발달되어야 한다고 말한다. 연대성과 자율성만이 발달한 사람은 조직화되어 있고 이성적이다. 그러나 그에게는 자기초월성이라는 상상력과 창의력이 부족하다. 합리적이지만 때로 너그럽지 못하고, 날카롭게 벼려진 칼날 같으나 어리석다.

역사적 인물 중에서는 위나라의 조조가 바로 그런 인물이었다. 나관중의 〈삼국지〉에 등장하는 조조는 연대성과 자율성만이 극도로 발달한 인물인데, 뛰어난 지략가이나 위선적이고 신뢰받지 못하는 인물로 그려진다. 실제로는 역사의 승자인 그이지만, 소설 속에서는 지덕체를 모두 갖춘 유비 현덕에게 주인공 자리를 내주었다. 한편 〈삼국지〉 속 유비는 성숙한 인격으로 모두에게 칭송받는다. 제아무리 까다롭거나 막무가내인 사람과도 인간관계를 풀어나가 결국 자신의 사람으로 만든다. 그는 너그러우며 말과 삶이 일치하는, 지혜를 겸비한 이상적인 인간형이다.

연대성과 자율성, 자기초월성의 지덕체가 고루 발달한 사람은 이처럼 일관성 있는 삶을 살 수 있다. 앎과 삶이 합치되는 것이다. 그러나 지와 체만이 발달하면 아는 것이 많고 자기 자신의 범위 내에서는 잘살지 모르나, 타인의 삶과는 괴리를 겪게 된다.

우리의 삶에 정신과 육체가 중요한 것은 물론이나, 영혼 없이는 살 수 없다. 좋은 관계, 좋은 삶, 상처받지 않고 상처 주지 않으며 행복하게 살아가기 위해서는 세상과 조화를 이루기 위한 인격적 성숙이 무엇보다도 중요하다.

마치는 글

2007년부터 생애초기 스트레스와 우울증에 대해 본격적으로 공부를 시작하면서 처음 만나게 된 마음 헤아리기 치료는, 지금 돌아보면 나에게 삶의 새로운 방향을 제시해준 전환점이 되었습니다. 마음을 안다는 것이 얼마나 어려운 것인지 다시 한 번 실감하게 되었고 특히 내 마음을 내가 잘 안다고 착각하며 살아왔던 지난 시절이 얼마나 치기 어린 삶이었는지 새삼 느끼게 되었습니다. 아직도 부족한 점이 많지만, 이제는 마음 헤아리기에 대한 책을 한 권 써야겠다고 한두 해 전부터 마음먹고 준비한 일이 이제 곧 마무리될 것 같습니다. 책을 쓰기로 결심한 이유는 갈수록 서로의 마음은 돌아보거나 헤아리지 못한 채 앞만 향해 달려가고 있는 우리 사회에서 내 마음을 돌아보고 상대의 마음을 헤아리는 것이야말로 다시 찾아야 할 가장 소중한 것이란 생각이 들었기 때문입니다.

인간은 아주 어릴 적 엄마와의 애착을 형성하는 단계에서부터 발달이 시작됩니다. 마음 헤아리기란 그러한 인간이 가진 가장 고차원적인 능력입니다. 아마도 '알파고'와 같은 인공지능이 가장 마지막까지 따라오기 힘든 능력이자 사람에게 가장 잘 발달된 능력이 아닐까 생각합니다. 나의 마음이 움직이는 과정을 살펴보고 떠오르는 감정이나 생각의 근원이 어디서부터 시작되었는지를 돌아볼 수 있는 능력이며 과거와 현재, 미래를 연결시켜 생각해 볼 수 있는 능력입니다. 더불어 상대의 행동이나 말에 담긴 속마음을 상대의 입장에서 헤아릴 수 있는 능력을 뜻하기도 합니다. 우리는 어린 시절 엄마와 상호작용하면서 마음 헤아리기 능력을 발달시키기 시작하여 점차 커가면서 다른 가족, 친구, 동료들과 어울리고 갈등하고 화해하고 용서해 가면서 마음 헤아리기 능력을 키워갑니다. 하지만 이 과정에서 상처받고 존중받지 못하는 경험이 반복되면, 마음 헤아리기 기능은 왜곡되고 발달이 멈추어 버릴 수도 있습니다.

서로의 속마음까지 통하고 연결되어 있다고 생각될 때 우리는 편안하고 행복한 마음 상태가 됩니다. 반대로 상대가 나의 마음을 이해하지 못한다고 느낄 때 그 사이에는 불신과 오해, 갈등과 불행이 싹 트기 시작합니다. 마음은 몸이 가까이 있다고 연결되는 것이 아닙니다. 이제부터라도 사랑하는 사람들과 마음이 통하고 연결될 수 있도록 나부터 노력해야 합니다. 그러기 위해서는 먼저 내 마음을 내가 잘 헤아릴 수 있어야 합니다. 내 마음이 힘들다면 무엇 때문에 힘든지, 기쁘다면 무엇이 진정 나를 기쁘게 하는 것인지 자세히 살펴봐야 합니다. 열 길 물속보다 알기 힘든 것이 사람 마음이라고 했지요. 내 마음을 잘 아는 것 같지만 양파처럼 벗기고 벗길수록 내가 몰랐던 내 마음속 상처와 아픔을 마주하게 됩니다. 또한 마음 깊숙이 자리 잡고 있어 살펴보지 못했던 내가 진정으로 바랐던 삶을 돌아볼 수 있습니다.

내 마음을 살펴봄과 동시에 내 주위 사람들의 마음도 그 사람의 입장에서 살펴보려 노력해야 합니다. 다른 이의 마음은 내 마음과 똑같지 않고, 상대는 다른 마음을 가질 수 있음을 늘 염두에 두어야 합니다. 그렇게 상대의 속마음을 헤아리기 위해 노력해 봅시다. 이로써 당신의 마음은 평화로워지고 주위의 사람들도 당신과 함께 편안하고 행복한 마음이 될 수 있습니다.

이 책이 나오기까지 마음 헤아리기 치료에 대한 공부를 함께하며 도와준 연세의대 의학행동과학연구소 SELiS 연구모임의 김민경, 김민국, 김종선, 박서연, 박해인, 손정현, 오욱진, 오지희, 윤상영, 이은지, 이정은, 이지선, 차샛별, 최선우, 한빛나, 허규형, 홍나래 선생님에게 고맙다는 말씀을 미리 드립니다. 한 분 한 분 이름을 말씀드릴 순 없지만 치료 시간에 참여해서 소중한 인생 경험을 함께 나누고 서로의 회복을 위해 노력해주셨던 분들께도 진심으로 감사드리며, 아픔을 넘어서 행복한 삶을 살아가시길 소망합니다. 정신과 의사의 삶을 몸소 가르쳐주신 스승이신 이재승, 이만홍, 남궁기, 김재진 선생님과 런던 Anna Freud Center에서 Mentalization based treatment를 개발하고 가르쳐주신 Anthony Bateman과 Peter Fonagy 선생님에게도 고맙습니다. 끝으로 자기 일에 허덕이며 살아가는 남편, 아빠, 아들, 사위, 동생, 조카를 이해해 주는 사랑하는 우리 가족에게 고마운 마음을 전합니다.

자주 잊고 살지만 언제나 어디서나 우리를 당신 사랑의 품 안으로 초대하시는 사랑하는 하느님께 이 책을 올립니다.